ŻYCIE
NA NASZEJ
PLANECIE

DAVID ATTENBOROUGH
I JONNIE HUGHES

ŻYCIE NA NASZEJ PLANECIE

MOJA HISTORIA, WASZA PRZYSZŁOŚĆ

Przełożyła Paulina Surniak

WYDAWNICTWO
POZNAŃSKIE

Redaktor inicjująca: PAULINA SURNIAK
Redaktor prowadząca: SYLWIA SMOLUCH
Marketing i promocja: AGATA GAĆ, KAROL GÓRSKI
Redakcja: PIOTR CHOJNACKI
Konsultacja merytoryczna: PROF. DR HAB. SZYMON MALINOWSKI
Korekta: MAGDALENA OWCZARZAK
Opracowanie indeksu: MAREK DAROSZEWSKI
Projekt typograficzny i łamanie: GRZEGORZ KALISIAK | *Pracownia Liternictwa i Grafiki*
Projekt okładki i stron tytułowych: MAGDA BLOCH
Grafika na okładce: Incomible | Shutterstock

Fotografia na okładce: JANE BARLOW | PA Images via Getty Images
Na zdjęciu sir David Attenborough trzyma w rękach Inti, samiczkę
bolity południowej, jednego z gatunków pancernika, urodzoną w zoo
w Edynburgu.

Zezwalamy na udostępnianie okładki książki w internecie.

Książkę wydrukowano na papierze Alto 80 g/m² vol. 1,5 z certyfikatem FSC
Kolorowe zdjęcia wydrukowano na papierze Alto 100 g/m² vol. 1,5 z certyfikatem FSC
Oprawę wydrukowano na kartonie Atelier 240 g/m² z certyfikatem FSC
Wydrukowano w drukarni POZKAL posiadającej certyfikat ISO 14001:2015

ISBN 978-83-66657-02-1

Wydawnictwo Poznańskie sp. z o.o.
ul. Fredry 8, 61-701 Poznań
tel.: 61 853-99-10
redakcja@wydawnictwopoznanskie.pl
www.wydawnictwopoznanskie.pl

S P I S T R E Ś C I

Nasz największy błąd

Prypeć na Ukrainie nie przypomina żadnego innego miejsca, w którym byłem. To uosobienie rozpaczy. Wygląda na przyjemne miasto, ma aleje, hotele, plac, szpital, park z karuzelami, pocztę główną i dworzec. Są w nim szkoły i baseny, bary i kawiarnie, restauracja nad rzeką, sklepy, domy towarowe i salony fryzjerskie, teatr i kino, sala taneczna, siłownie i stadion z bieżnią. Słowem, ma wszelkie udogodnienia, które my, ludzie, wynaleźliśmy, żeby ułatwiały nam życie i sprawiały przyjemność — wszystkie składniki naszego domowego środowiska.

Handel i życie kulturalne skupiają się w otoczonym blokami mieszkalnymi centrum. Przy starannie zaplanowanej siatce ulic postawiono sto sześćdziesiąt budynków, umieszczając je pod odpowiednim kątem. Każde mieszkanie ma balkon. Każdy blok pralnię. Najwyższe wieżowce mają prawie dwadzieścia pięter, a na ich szczytach umieszczono gigantyczne sierpy i młoty z żelaza — symbole twórców tego miasta.

Wstęp

Prypeć powstała w Związku Radzieckim w czasie boomu budowlanego lat siedemdziesiątych. Miała stanowić idealny dom dla blisko pięćdziesięciu tysięcy ludzi. Zaprojektowano ją jako modernistyczną utopię, w której mieli zamieszkać najlepsi inżynierowie i naukowcy bloku wschodniego wraz z rodzinami. Widać ich na amatorskich taśmach filmowych z początku lat osiemdziesiątych. Śmieją się, rozmawiają, pchają wózki dziecięce po szerokich bulwarach, chodzą na lekcje baletu, ćwiczą na basenach olimpijskich i pływają łódkami po rzece.

Dzisiaj nikt jednak w Prypeci nie mieszka. Ściany się walą. W oknach nie ma szyb. Nadproża się łamią. Uważnie stawiam kroki, zaglądając do ciemnych, pustych budynków. Na podłogach salonów fryzjerskich leżą poprzewracane krzesła, między nimi widać zakurzone wałki do włosów i odłamki luster. Z sufitu sklepu zwisają świetlówki. Parkiet w ratuszu zerwano, klepki rozsypały się po okazałych schodach z marmuru. W salach szkolnych walają się stare podręczniki, ćwiczenia wypełniono cyrylicą, niebieskim atramentem. Baseny są puste. Siedziska kanap w mieszkaniach zapadły się aż do podłogi. Łóżka przegniły. Prawie nic się nie rusza — zatrzymane w czasie. Wzdrygam się na najlżejszy powiew wiatru.

Otwieram kolejne drzwi, a brak ludzi zaczyna stawać się coraz bardziej odczuwalny. Ich nieobecność mówi sama za siebie. Odwiedzałem już inne opuszczone miasta — Pompeje, Angkor Wat i Machu Picchu — ale tu wszystko wygląda tak normalnie, że trudno nie zauważyć jak nienaturalna jest panująca pustka. Układ budynków, ich wyposażenie wydają się tak znajome, że nie można uznać, iż zostały porzucone z powodu upływu czasu. Prypeć to uosobienie rozpaczy, ponieważ wszystkie przedmioty w zasięgu wzroku, od tablic ogłoszeniowych, na które nikt już nie patrzy, przez porzucone suwaki logarytmiczne w szkolnych klasach aż do potrzaskanego pianina w kawiarni są pomnikami świadczącymi o tym, że ludzkość może utracić wszystko, czego potrzebuje, i wszystko, co jest dla niej cenne. My, ludzie, samotni na tej planecie, mamy w sobie moc stwarzania światów i moc ich unicestwiania.

Dwudziestego szóstego kwietnia 1986 roku doszło do wybuchu w reaktorze numer cztery w pobliskiej elektrowni jądrowej imienia Władimira Iljicza Lenina, dzisiaj znanej jako elektrownia w Czarnobylu. Katastrofa była wynikiem złego planowania i błędu ludzkiego. Reaktory zostały źle zaprojektowane. Załoga elektrowni o tym nie wiedziała, a co gorsza, wykonywała swoją pracę niestarannie. Czarnobyl wybuchł w wyniku błędów — to najbardziej ludzkie wytłumaczenie.

Wiatry rozniosły nad Europą pył, którego było czterysta razy więcej niż tego, który powstał w wyniku wybuchów bomb nad Hiroszimą i Nagasaki. Padał on z deszczem i śniegiem, wnikał w glebę i wodę wielu krajów, aż w końcu przedostał się do łańcucha pokarmowego. Wciąż nie ustalono, ile osób zmarło w wyniku awarii reaktora, ale ogólną liczbę osób dotkniętych katastrofą, przede wszystkim wysiedlonych, szacuje się na kilkaset tysięcy. Wiele osób uważa Czarnobyl za najbardziej brzemienną w skutki katastrofę ekologiczną w historii.

Niestety, nie jest to prawdą. Dzieje się coś jeszcze, rozwija powoli na całej planecie od zeszłego stulecia w sposób prawie niezauważalny. Tu też przyczyną jest złe planowanie i błąd ludzki. Tym razem jednak nie zaczęło się od jednego nieszczęśliwego zdarzenia. Źródłem problemu są niedbalstwo i brak zrozumienia, które wpływają na wszystko, co robimy. Początkowo wszystko działo się po cichu i nikt tego nie dostrzegał. Skutki są jednak wielorakie, globalne i bardzo złożone. Nie da się ich wykryć za pomocą jednego narzędzia. Aby je potwierdzić, konieczne było przeprowadzenie setek badań w różnych zakątkach globu. Rezultaty mogą się okazać dużo poważniejsze niż zanieczyszczenie gleb i wód kilku pechowo położonych krajów — mogą doprowadzić do destabilizacji i zniszczenia wszystkiego, co przyjmujemy za pewnik.

Prawdziwą tragedią naszych czasów jest postępująca zagłada b i o r ó ż n o r o d n o ś c i naszej planety. Ogromna bioróżnorodność jest konieczna dla istnienia życia. Miliardy różnych organizmów muszą wykorzystywać wszystkie zasoby i możliwości, a miliony gatunków współistnieć i wspomagać się nawzajem, żeby planeta mogła funkcjonować. Im większa bioróżnorodność, tym bezpieczniejsze jest życie na Ziemi, także nasze. A jednak to właśnie nasz, ludzki styl życia stanowi największe zagrożenie dla bioróżnorodności.

Wszyscy jesteśmy współodpowiedzialni, choć należy zauważyć, że nie do końca to nasza wina. Dopiero w ostatnich dziesięcioleciach zaczęliśmy rozumieć, że urodziliśmy się w stworzonym przez ludzi świecie, który ze swej natury jest nietrwały. Jednak teraz jesteśmy już tego świadomi i musimy dokonać wyboru. Możemy nadal żyć beztrosko, wychowywać dzieci, uczciwie pracować w nowoczesnym społeczeństwie, które zbudowaliśmy, lekceważąc przy tym czekającą nas katastrofę. Możemy też się zmienić.

Wybór nie jest bynajmniej prosty. W końcu chwytanie się tego, co znamy, jest częścią ludzkiej natury. Instynktownie ignorujemy to, czego nie znamy, lub boimy się tego. Mieszkańcy Prypeci co rano po odsunięciu zasłon widzieli gigantyczną elektrownię, która pewnego dnia miała zniszczyć ich życie. Większość w niej pracowała, a pozostali utrzymywali się z zarobków osób tam zatrudnionych. Wielu z nich rozumiało zagrożenie, ale nie sądzę, że ktokolwiek z nich zdecydowałby się wyłączyć reaktory. Czarnobyl zapewniał im coś niezwykle cennego — wygodne życie.

Wszyscy jesteśmy mieszkańcami Prypeci. Prowadzimy wygodne życie w cieniu katastrofy, do której się przyczyniamy. U jej podstaw leżą te same rzeczy, które zapewniają nam komfort. To naturalne, że chcemy żyć po staremu, przynajmniej dopóki nie będzie naprawdę przekonujących dowodów na to, że istnieje jakaś alternatywa. Właśnie dlatego postanowiłem napisać tę książkę.

Świat przyrody znika. Dowody są wszędzie. Zmiana zaszła w ciągu mojego życia. Widziałem ją na własne oczy. Doprowadzi do zagłady naszego świata.

Wciąż jednak możemy wyłączyć reaktor. Mamy wybór.

W tej książce opowiem o tym, jak to się stało, że popełniliśmy nasz największy błąd, a także o tym, jak możemy go naprawić, jeśli natychmiast zaczniemy działać.

Zeznania
naocznego świadka

W chwili, kiedy to piszę, mam dziewięćdziesiąt cztery lata. Przeżyłem naprawdę niezwykłe życie. Dopiero teraz to do mnie dociera. Miałem szczęście. Podróżowałem w dzikie miejsca i kręciłem filmy o stworzeniach, które je zamieszkują. Dzięki temu dobrze poznałem naszą planetę. Na własne oczy przekonałem się, jaka jest cudowna i różnorodna. Byłem świadkiem wspaniałych spektakli i poruszających dramatów.

Kiedy byłem mały, jak wiele innych dzieci marzyłem o dalekich podróżach, chciałem oglądać nieskażoną przyrodę i odkrywać nowe gatunki. Trudno mi teraz uwierzyć, że przez znaczną część życia mogłem realizować te marzenia.

1937

LUDNOŚĆ ŚWIATA: 2,3 miliarda[1]

STĘŻENIE DWUTLENKU WĘGLA W ATMOSFERZE: 280 ppm[2]

DZIKIE OBSZARY: 66 procent[3]

Kiedy miałem jedenaście lat, mieszkałem w Leicester w środkowej Anglii. Chłopcy w moim wieku wsiadali tam często na rower, jechali za miasto i spędzali cały dzień poza domem. Też tak robiłem. Każde dziecko bada świat. Zaglądanie pod kamienie w poszukiwaniu żyjątek jest badaniem. Nic nie wydawało

---

[1] Najbardziej wiarygodnym źródłem informacji na temat liczby ludności są dane gromadzone przez Wydział Ludnościowy Departamentu Gospodarki i Spraw Socjalnych ONZ. Wiele informacji dostępnych jest na stronie https://population.un.org/wpp, a zwłaszcza w dokumencie *World Population Prospects 2019 — Highlights* (https://population.un.org/wpp/Publications/Files/WPP2019_Highlights.pdf).

[2] Wzrost stężenia dwutlenku węgla w atmosferze jest cechą charakterystyczną rozwoju społeczeństwa ludzkiego w ostatnich latach. Należy do głównych czynników wpływających na zmiany klimatyczne. Wzrost stężenia CO_2 jest bezpośrednio związany ze spalaniem paliw kopalnych — węgla, ropy i gazu. W tej książce podaję stężenie CO_2 na podstawie danych z obserwatorium na Mauna Loa (https://www.esrl.noaa.gov/gmd/ccgg/trends/data.html).

[3] Powierzchnię dzikich obszarów oszacowano na podstawie danych i obliczeń pochodzących z artykułu: E. Ellis i in., *Anthropogenic transformation of the biomes, 1700 to 2000 (supplementary info Appendix 5)*, „Global Ecology and Biogeography" 2010, t. 19, s. 589–606.

mi się wtedy bardziej fascynujące niż przyglądanie się przyrodzie.

Mój starszy brat miał inne zainteresowania. W Leicester działało kółko teatralne, którego członkowie wystawiali sztuki prawie jak profesjonaliści. Od czasu do czasu udawało mu się mnie namówić do wystąpienia w jakimś przedstawieniu i wygłoszenia kilku zdań, ale nie miałem do tego serca.

Kiedy tylko było w miarę ciepło, ruszałem na wycieczki rowerowe do wschodniej części hrabstwa. Było tam mnóstwo skał, kryjących piękne i intrygujące skamieliny, choć nie były to kości dinozaurów. Miodowożółte wapienie powstały, kiedy muł osiadł na dnie dawnego morza, nie można więc się było spodziewać, że będą w sobie kryły szczątki stworzeń żyjących na lądzie. Znajdowałem jednak skorupy zwierząt morskich — amonitów. Niektóre miały po piętnaście centymetrów średnicy i były zwinięte jak rogi baranie, inne rozmiarem przypominały orzechy laskowe. W środku kryły delikatny szkielet z kalcytu, który chronił organy oddechowe. Nic nie mogło się równać dreszczykowi emocji, który towarzyszył mi, kiedy podnosiłem obiecujący kamień, uderzałem ostrożnie młotkiem i patrzyłem, jak się otwiera, a w słońcu połyskuje wspaniała muszla. Napawałem się myślą, że jestem pierwszym człowiekiem, który na nią patrzy.

Od najmłodszych lat uważałem, że nic nie jest równie ważne jak poznanie zasad funkcjonowania świata przyrody. Nie interesowały mnie prawa ustanowione

przez człowieka. Ciekawsze były te, które rządziły życiem roślin i zwierząt. Historia królów i królowych, a nawet języki, którymi posługiwały się różne społeczeństwa, nie mogły się równać z wiedzą o świecie istniejącym na długo przed człowiekiem. Dlaczego występuje tyle rodzajów amonitów? Czym się różnią? Czy prowadziły odmienny tryb życia? Zamieszkiwały inne obszary? Szybko odkryłem, że nie jestem jedyną osobą, która zadaje takie pytania, dotarłem też do wielu odpowiedzi. Złożone razem, tworzyły opowieść inną niż wszystkie — historię życia.

Składają się na nią przede wszystkim zapiski o powolnych, bezustannych zmianach. Każde stworzenie, którego szczątki znalazłem w skałach, było przez całe życie poddawane różnego rodzaju sprawdzianom. Osobniki, które lepiej radziły sobie z przeżyciem i rozmnażaniem, przekazały swoje cechy kolejnym pokoleniom. Pozostałym się to nie udało. Przez miliardy lat żywe organizmy zmieniały się, stawały coraz bardziej złożone, wydajne, a często też wyspecjalizowane. Całą tę historię, ze wszystkimi szczegółami, można odczytać ze skał. W wapieniach z Leicestershire zachował się tylko niewielki jej fragment, ale kolejne rozdziały można było odnaleźć w gablotach miejskiego muzeum. A kiedy nadszedł czas, postanowiłem, że chcę ją poznać bliżej i w związku z tym wybrałem się na studia.

Na uniwersytecie dowiedziałem się czegoś nowego. Okazało się, że od czasu do czasu ta powolna historia zmian się urywała. Mniej więcej co paręset milionów lat, po wszystkich mozolnych przemianach i ulepszeniach, następowała katastrofa — masowe ginięcie gatunków.

Z różnych powodów, w różnych momentach historii Ziemi, dochodziło do gwałtownych, głębokich, globalnych w swojej skali zmian w środowisku, do którego gatunki tak starannie się przystosowały. Podtrzymująca życie machina zacinała się, a precyzyjne zbiorowisko delikatnych powiązań, które ją spajały, rozpadało się. Wiele gatunków znikało, tylko nielicznym udawało się przetrwać. Zmiany ewolucyjne szły na marne. To potężne wymieranie tworzyło linie w skałach. Można je było dostrzec, jeśli wiedziało się, gdzie patrzeć i jak je rozpoznać. Pod linią widać było wiele różnych organizmów. Ponad nią pozostawała tylko garstka.

Masowe wymieranie gatunków zdarzyło się pięć razy w ciągu ostatnich czterech miliardów lat[4]. Za każdym razem świat przyrody ginął. Nieliczne gatunki, które jakoś przetrwały, dawały początek nowemu życiu. Uważa się, że ostatnie wymieranie zostało spowodowane przez uderzenie meteorytu o średnicy ponad dziesięciu

[4] Dokładna liczba zjawisk uważanych za masowe wymieranie zależy od tego, w jakim momencie uzna się je za „masowe". Zazwyczaj geolodzy mówią o pięciu masowych wymieraniach: wymieranie ordowickie (ok. 450 mln lat temu), wymieranie dewońskie (ok. 275 mln lat temu), wymieranie permskie (252 mln lat temu — o największej skali, w jego wyniku wyginęło 96 procent gatunków morskich i 70 procent gatunków lądowych), wymieranie triasowe (210 mln lat temu) i wymieranie kredowe (66 mln lat temu), które zakończyło erę dinozaurów.

kilometrów. Wybuch był potężniejszy od największej bomby atomowej, jaką kiedykolwiek testowano[5]. Meteoryt wbił się w warstwę gipsu, a w wyniku uderzenia w powietrze wzbiły się aerozole zawierające związki siarki. Doprowadziło to do powstania kwaśnych deszczy, które zabijały roślinność i rozpuszczały plankton unoszący się na powierzchni oceanów. Chmura pyłu zmniejszyła ilość światła słonecznego, ograniczając wzrost roślin na kilka lat. Płonące odłamki spadły na Ziemię, powodując pożary na całej półkuli zachodniej. Ogień zwiększał ilość dwutlenku węgla w wystarczająco już zanieczyszczonej atmosferze, doprowadzając do nasilenia efektu cieplarnianego. W dodatku meteoryt uderzył w wybrzeże, wywołując gigantyczne tsunami, które przetoczyło się przez całą planetę, niszcząc przybrzeżne ekosystemy i przenosząc piasek morski w głąb lądu.

To zdarzenie zmieniło bieg historii naturalnej, doprowadzając do wyginięcia trzech czwartych gatunków, w tym wszystkich zwierząt lądowych większych niż pies. Zakończyło trwającą sto siedemdziesiąt pięć

---

[5] Istnieje kilka teorii dotyczących przyczyn wymarcia dinozaurów. Początkowo, gdy pojawiła się hipoteza, że przyczyną było uderzenie meteorytu w Półwysep Jukatański, uznano ją za zbyt radykalną. Stopniowo pojawiały się jednak kolejne dowody. Niektóre zebrano, wwiercając się w krater Chicxulub w 2016 roku. Obecnie jest to najbardziej rozpowszechniona teoria. Przegląd najnowszych dowodów można znaleźć w: E. Hand, *Drilling of dinosaur-killing impact crater explains buried circular hills*, „Science", 17 XI 2016, https://www.sciencemag.org/news/2016/11/updated-drilling-dinosaur-killing-impact-crater-explains-buried-circular-hills.

milionów lat erę dinozaurów. *Życie na Ziemi* musiało się odbudować od podstaw.

Od tego czasu minęło sześćdziesiąt sześć milionów lat, a świat przyrody zdołał się odtworzyć. Powstał nowy zbiór gatunków. Jednym z rezultatów tego restartu było pojawienie się człowieka.

⸺

Nasza ewolucja jest także zapisana w skałach. Łatwiej znaleźć amonity niż skamieniałe szczątki naszych przodków, ponieważ pierwsi ludzie pojawili się trochę ponad dwa miliony lat temu. Dodatkowym utrudnieniem jest fakt, że większość szczątków stworzeń lądowych nie została bezpiecznie ukryta pod warstwami osadów, tak jak w przypadku morskich zwierząt. Zniszczyły je słońce, deszcz i mróz. Część jednak przetrwała, a te nieliczne, które udało nam się odnaleźć, wskazują na to, że pierwsi ludzie zamieszkiwali Afrykę. W wyniku ewolucji nasze mózgi zaczęły się powiększać w tempie sugerującym, że nabywaliśmy jedną z naszych najbardziej charakterystycznych cech — zdolność do tworzenia kultur na niespotykaną dotąd skalę.

Z punktu widzenia biologa ewolucyjnego, „kultura" oznacza informacje, które mogą być przekazywane między osobnikami przez uczenie się lub naśladowanie. Wydaje nam się, że odtwarzanie pomysłów i zachowań innych jest czymś prostym, ale to dlatego, że jesteśmy w tym dobrzy. Niewiele innych gatunków wytworzyło jakąś namiastkę kultury. Udało się to między innymi szympansom i delfinom butlonosym. Żaden gatunek nie ma jednak takiej umiejętności budowania kultury jak nasz.

Kultura zmieniła naszą ewolucję. Była nową strategią przystosowywania się do życia na Ziemi. Inne gatunki potrzebowały wielu pokoleń, by zmienić się pod względem fizycznym, nasz umiał stworzyć pomysł, który umożliwiał istotną zmianę w trakcie życia jednego pokolenia. Osobniki naszego gatunku potrafiły przekazać sobie informacje na temat roślin, które nawet w trakcie suszy zawierają wodę, wytwarzania kamiennych narzędzi do oprawiania zdobyczy i wzniecania ognia do ugotowania posiłku. Była to nowa forma dziedziczenia, które nie zależało od genów przekazywanych przez rodziców. Wzrosło więc tempo zmian. Mózgi naszych przodków rozrastały się nadzwyczaj szybko, umożliwiając nam naukę, przechowywanie i szerzenie nowych pomysłów. Ostatecznie zmiany fizyczne drastycznie zwolniły i prawie się zatrzymały. Mniej więcej dwieście tysięcy lat temu pojawił się gatunek, który anatomicznie przypomina ludzi współczesnych — *Homo sapiens* — ludzi takich jak ty i ja. Od tego czasu prawie się już nie zmieniliśmy pod względem budowy, za to drastycznie zmieniła się nasza kultura.

W początkowym okresie istnienia naszego gatunku kultura ludzkości koncentrowała się na zbieractwie i łowiectwie. Byliśmy świetni w obu tych czynnościach.

Wyposażyliśmy się w materialne wytwory kultury takie jak haczyki do łowienia ryb i noże do oprawiania jeleni. Nauczyliśmy się panować nad ogniem i wykorzystywać go do gotowania oraz mielić ziarno. Jednak mimo tej pomysłowości nie było nam łatwo. Żyliśmy w trudnym i, co ważniejsze, nieprzewidywalnym środowisku. Na świecie było zdecydowanie zimniej niż teraz. Poziom mórz był niższy, trudniej było o słodką wodę, a temperatury ulegały poważnym wahaniom. Mieliśmy wprawdzie zbliżone do współczesnych ciała i mózgi, ale trudniej nam było przetrwać w niestabilnym środowisku. Badania genetyczne prowadzone na ludziach współczesnych sugerują, że siedemdziesiąt tysięcy lat temu zmiany klimatyczne poważnie zagroziły naszemu przetrwaniu. Populacja gatunku zmniejszyła się do zaledwie dwudziestu tysięcy dorosłych, płodnych osobników[6]. Aby się rozwijać, potrzebowaliśmy stabilności. Dopiero cofnięcie się ostatnich

---

[6] Z analizy genetycznej wynika, że mniej więcej 70 tysięcy lat temu wystąpiło tzw. zjawisko wąskiego gardła, a liczba ludności gwałtownie spadła. Przyczyny tego spadku są tematem ożywionej debaty. Mówi się zarówno o wybuchu wulkanu, jak i o czynnikach społeczno-kulturowych. Większość naukowców uważa, że główną przyczyną były długofalowe zmiany klimatyczne. Zainteresowani czytelnicy znajdą więcej informacji w następujących artykułach: J.E. Tierney i in., *A climatic context for the out-of-Africa migration*, 2016, https://pubs. geoscienceworld.org/gsa/ geology/article/45/11/1023/516677/A-climatic-context-for-the-out-of-Africa-migration'; C.D. Huff i in., *Mobile elements reveal small population size in the ancient ancestors of Homo sapiens*, 2010, https://www.pnas.org/content/107/5/2147; T.C. Zeng i in., *Cultural hitchhiking and competition between patrilineal kin*

lodowców zapewniło nam ją, mniej więcej jedenaście tysięcy siedemset lat temu.

———

Holocen — część historii, którą uważamy za nasze czasy — to jeden z najstabilniejszych okresów w długich dziejach naszej planety. W ciągu ostatnich dziesięciu tysięcy lat średnie temperatury w skali globalnej nie zmieniały się bardziej niż o jeden stopień Celsjusza[7]. Nie wiemy dokładnie, z czego ta stabilność wynika, ale prawdopodobnie nie bez znaczenia jest różnorodność naszego świata.

Fitoplankton, czyli mikroskopijne rośliny unoszące się pod powierzchnią oceanów, oraz rozległe lasy pokrywające północną część planety pochłaniały olbrzymie ilości dwutlenku węgla i utrzymywały w ten sposób efekt cieplarniany w ryzach. Liczne stada bydła pasącego się na preriach i sawannach użyźniały glebę i pobudzały trawy do wzrostu. Rozciągające się wzdłuż wybrzeża lasy namorzynowe i rafy koralowe dawały

groups explain the post-Neolithic Y-chromosome bottleneck, „Nature" 2018, https://www.nature. com/articles/s41467-018-04375-6.

[7] Możemy oszacować temperaturę w minionych wiekach, badając rdzeń lodowy, słoje drzew i osady oceaniczne. Wynika z nich, że przez kilkaset tysięcy lat przed holocenem średnia temperatura na Ziemi ulegała dużo większym wahaniom niż obecnie, była też nieco niższa. NASA opracowała interesujący artykuł, który zawiera więcej informacji na ten temat: https://earthobservatory.nasa.gov/features/GlobalWarming/page3.php.

schronienie rybiemu potomstwu, które dorastało tam bezpiecznie, by potem wypłynąć na szerokie wody i wzbogacić oceaniczny ekosystem. Gęste, wielowarstwowe lasy deszczowe okalające planetę w okolicach równika pochłaniały energię słoneczną, emitując do atmosfery wilgoć i tlen. Wreszcie bezkresne pola śniegu i lodu na północnych i południowych krańcach Ziemi odbijały światło słoneczne, schładzając planetę niczym gigantyczne klimatyzatory.

W ten sposób kwitnąca bioróżnorodność holocenu łagodziła temperaturę globu. Świat przyrody dostosował się do stabilnego, subtelnego rytmu zmieniających się pór roku. Na tropikalnych równinach z niesłabnącą regularnością pojawiały się pora sucha i deszczowa. W Azji i Oceanii wiatry co roku zmieniały kierunek, sprowadzając deszcze monsunowe. Na północy temperatura przekraczała piętnaście stopni Celsjusza w marcu, co oznaczało nadejście wiosny. Ciepło utrzymywało się do października, kiedy to ochłodzenie sprowadzało jesień.

Holocen był naszym rajskim ogrodem. Pewność i niezmienność nadchodzenia kolejnych pór roku dały nam możliwości rozwoju, z których skorzystaliśmy. Gdy tylko klimat się ustabilizował, grupy ludzi żyjących na Bliskim Wschodzie porzuciły zbieractwo i łowiectwo i zorganizowały sobie całkiem nowy sposób życia — zaczęły uprawiać ziemię. Nie była to zamierzona zmiana. Nie zaplanowaliśmy jej. Droga prowadząca do początków rolnictwa była długa, chaotyczna i pełna przypadków. Więcej zawdzięczaliśmy szczęściu niż zdolności przewidywania.

Środowisko Bliskiego Wschodu miało jednak cechy umożliwiające zaistnienie takich szczęśliwych trafów. Położenie między trzema kontynentami — Afryką, Azją i Europą — sprawiało, że od milionów lat różne gatunki roślin i zwierząt zarówno się tędy przemieszczały, jak i się tu osiedlały. Zbocza wzgórz i tereny zalewowe porastali dzicy przodkowie pszenicy, jęczmienia, ciecierzycy, groszku i soczewicy — gatunki, których ziarno obfituje w środki odżywcze i jest w stanie przetrwać długie okresy suszy. Te smakowite kąski z pewnością przyciągały ludzi. Ci, którym udało się zgromadzić więcej, niż byli w stanie od razu zjeść, z pewnością je przechowywali. Zapewne tak samo postępowali z upolowanymi ssakami i ptakami, gromadząc zapasy na zimę. W pewnym momencie ludy zbieracko-łowieckie przestały wędrować i zaczęły się osiedlać, gdyż wiedziały, że zebrane ziarno wyżywi je, kiedy zabraknie innych źródeł pokarmu.

Na tych terenach żyły też różne gatunki bydła, kóz, owiec i świń. Początkowo zapewne je łowiono, ale parę tysięcy lat po początku holocenu udało się je udomowić. Bez wątpienia nie nastąpiło to od razu. Proces przebiegał w wielu krokach, które zapewne były dziełem przypadku. Najpierw myśliwi zaczęli polować na samce, oszczędzając samice z młodymi, żeby podtrzymać populację. Wiemy to dzięki badaniom kości znalezionych w okolicy starożytnych osad. Ludzie odganiali też drapieżniki, a czasem obywali się bez mięsa całymi miesiącami, czekając na powiększenie się stad. Wreszcie zaczęli łowić zwierzęta i hodować je, bez wątpienia wybierając łagodne i tolerancyjne osobniki.

Z czasem pojawiły się kolejne innowacje. Budowano magazyny na zboże, zaganiano stada, kopano kanały irygacyjne, orano ziemię i zasiewano ziarno, dodawano nawozy. Pojawiło się rolnictwo. Być może było to nieuniknione w sytuacji, w której gatunek tak inteligentny i pomysłowy jak nasz zaistniał w epoce tak stabilnej jak holocen. Niezależne od siebie grupy ludzi zaczęły uprawiać ziemię przynajmniej w jedenastu różnych miejscach globu. Stopniowo powstały odmiany uprawne roślin takich jak ziemniaki, kukurydza, ryż i trzcina cukrowa. Udomowiono też osły, kurczaki, lamy i pszczoły.

———

Rolnictwo zmieniło relacje między człowiekiem a przyrodą. Zaczęliśmy oswajać niewielką część dzikiego świata, w jakimś stopniu kontrolując środowisko. Wybudowaliśmy mury, które osłaniały rośliny od wiatru. Sadziliśmy drzewa, by zapewnić zwierzętom cień. Nawoziliśmy ziemię ich odchodami. Dbaliśmy o dobre plony w trakcie suszy, budując systemy doprowadzające wodę z rzek i jezior. Usuwaliśmy rośliny, które stanowiły konkurencję dla naszych upraw, i pokrywaliśmy całe wzgórza tymi, które preferowaliśmy.

Wybrane przez nas rośliny i zwierzęta zaczęły się zmieniać. Ponieważ chroniliśmy bydło, nasze krowy nie musiały wypatrywać drapieżników, a byki przestały walczyć o samice. Wyrywaliśmy chwasty, więc rośliny nie walczyły z innymi o dostęp do azotu, wody i światła słonecznego. Wytwarzały większe ziarno, bardziej dorodne owoce i bulwy. Zwierzęta stawały się coraz bardziej posłuszne, ponieważ nie musiały mieć się na baczności i walczyć. Opadły im uszy, ogony skręciły się i nawet w wieku dorosłym wydawały z siebie dźwięki dawniej charakterystyczne tylko dla młodych, takie jak ujadanie, meczenie i skowyt, być może dlatego, że w pewnym sensie nie musiały dorastać, skoro przejmowaliśmy rolę ich rodziców, karmiąc je i chroniąc. My także się zmienialiśmy. Wcześniej to przyroda wpływała na nas, teraz zyskaliśmy umiejętność wpływania na inne gatunki i naginania ich do swoich potrzeb.

Uprawa ziemi nie była łatwa. Często zdarzały się susze i okresy głodu. Ludzie nauczyli się jednak produkować więcej jedzenia, niż potrzebowali. Mogli teraz mieć więcej dzieci. Dodatkowi synowie i córki przydawały się nie tylko do pracy na roli. Z ich pomocą łatwiej było zachować ziemię. Tereny uprawne były cenne, rolnicy zaczęli więc budować trwalsze schronienia, by w ten sposób pilnować swojej ziemi.

Poszczególne pola różniły się rodzajem gleby, dostępem do wody i położeniem. Niektóre uprawy i stada rozwijały się więc lepiej niż inne. Tym samym rolnicy mogli handlować wyprodukowanymi przez siebie nadwyżkami. Zaczęli spotykać się na otwartych targowiskach, negocjując wymianę towarów. Wkrótce handlowali nie tylko żywnością, ale też innymi produktami i usługami. Rolnicy potrzebowali kamieni, sznurów, oleju i ryb. Chętnie nabywali wytwory pracy stolarzy, kamieniarzy i wytwórców narzędzi, którzy z kolei mogli teraz wymienić swoje towary na jedzenie i nie musieli go sami produkować. W miarę rozwoju handlu wokół targowisk zbudowano miasta. W żyznych dolinach rozrosły się one w prawdziwe metropolie. Kiedy w dolinie zaczynało brakować miejsca, niektórzy rolnicy przenosili się dalej w poszukiwaniu nowych terenów pod uprawę. Sąsiadujące z nimi plemiona zbieracko-łowieckie wtapiały się w nowe społeczności, a osiadły tryb życia szybko zyskiwał popularność wzdłuż kolejnych rzek.

Tak zaczęła się cywilizacja. Nabierała rozpędu z każdym pokoleniem i z każdą technologiczną nowinką. Wynaleziono i udoskonalono młyny wodne, silniki parowe i elektryczność. Wreszcie powstało wszystko, czym posługujemy się teraz. Jednak kolejne pokolenia tych coraz bardziej złożonych społeczeństw mogły się rozwijać tylko dzięki stabilnemu środowisku naturalnemu, które nieodmiennie dostarczało wszystkiego, czego potrzebowaliśmy. Łagodny klimat holocenu i jego zachwycająca bioróżnorodność były gwarancją postępu i stawały się dla nas coraz ważniejsze.

1954

LUDNOŚĆ ŚWIATA: 2,7 miliarda

STĘŻENIE DWUTLENKU WĘGLA W ATMOSFERZE: 310 ppm

DZIKIE OBSZARY: 64 procent

Po ukończeniu studiów biologicznych i odbyciu służby w marynarce zacząłem pracę w raczkującej dopiero telewizji BBC. Była to pierwsza stacja telewizyjna świata. Wynajmowała wtedy dwa niewielkie studia w Alexandra Palace w północnej części Londynu. Zawieszono ją, gdy wybuchła druga wojna światowa, ale w 1946 roku ruszyła ponownie, z tymi samymi kamerami i w tych samych studiach. Wszystkie programy nadawano na żywo, były biało-czarne i dało się je oglądać tylko w Londynie i Birmingham. Zatrudniono mnie do różnych programów dokumentalnych, ale w miarę rozwoju oferty zacząłem się specjalizować w produkcjach przyrodniczych.

Początkowo pokazywaliśmy zwierzęta, które przywoziliśmy do studia z londyńskiego zoo. Umieszczaliśmy je na stole przykrytym wycieraczką i przeważnie ktoś z pracowników zoo je przytrzymywał i się nimi zajmował. Sprawiało to jednak nienaturalne wrażenie, jakby były jakimiś dziwadłami. Marzyło mi się pokazanie ich widzom w odpowiednim otoczeniu — w naturalnym środowisku, w którym ich różnorodne kolory i kształty nabiorą sensu. Udało mi się wymyślić na to sposób. Wspólnie z Jackiem Lesterem, kuratorem działu gadów w londyńskim ogrodzie zoologicznym, opracowaliśmy plan. Miał zasugerować dyrektorowi zoo wyjazd do Sierra Leone w Afryce Zachodniej — miejsca, które dobrze znał — proponując przy tym, że zabierze mnie oraz operatora kamery. Mieliśmy filmować pracę Jacka w dziczy, a następnie on sam miał pojawiać się w studiu, by pokazywać zwierzęta, które udało mu się złowić, i opowiadać o ich cechach. Byłaby to świetna reklama zoo, a BBC zyskałoby nowy rodzaj programu przyrodniczego. Wymyśliliśmy tytuł *Zoo Quest* (Na tropach zwierząt). I tak, w 1954 roku, wyruszyłem do Afryki z Jackiem i Charlesem Lagusem — młodym kamerzystą, który pracował już w Himalajach i używał niewielkiego sprzętu na taśmę szerokości 16 mm, na której mi zależało.

Pierwszy odcinek wyemitowano w grudniu 1954 roku. Niestety następnego dnia Jack trafił do szpitala. Zdiagnozowano u niego chorobę, która miała ostatecznie doprowadzić do jego śmierci. Żadną miarą nie mógł się więc pojawić w studiu w następnym tygodniu. Tylko jedna osoba mogła go zastąpić — ja. Kazano mi więc zostawić reżyserkę i przenieść się do studia, gdzie miałem mocować się z pytonami, pokazywać małpy, rzadkie gatunki ptaków i kameleonów, które przywieźliśmy z wyprawy. Były to początki mojej pracy przed kamerami.

Część pierwsza

Program okazał się niezwykle popularny, zacząłem więc podróżować, kręcąc kolejne serie. Jeździłem do Gujany, na Borneo, do Nowej Gwinei, Paragwaju, na Madagaskar. Wszędzie znajdowałem miejsca nietknięte przez człowieka — migoczące morza, ogromne połacie lasów, rozległe równiny. Mijały kolejne lata, a ja podróżowałem z kamerą, rejestrując cuda świata przyrody na użytek widzów. Ludzie, którzy nam pomagali, prowadząc nas przez dżungle i pustynie, nie mogli zrozumieć, dlaczego tak trudno mi znaleźć zwierzęta. Dla nich była to pestka. Musiało minąć sporo czasu, zanim nauczyłem się podstaw życia i pracy wśród dzikiej natury.

Nasze filmy cieszyły się niezwykłą popularnością. Europa zaczynała powoli zapominać o drugiej wojnie światowej, która obróciła kontynent w ruinę. Świat łaknął nowego życia. Pojawiały się nowinki technologiczne, które ułatwiały życie i otwierały nas na nowe doświadczenia. Zdawało się, że nic nie jest w stanie zatrzymać postępu. Przyszłość rysowała się w ekscytujących barwach, miała przynieść spełnienie wszelkich marzeń. Czy ktoś taki jak ja, przemierzający planetę i badający dziką przyrodę, mógł nie podzielać tych wizji?

Nikt z nas nie uświadamiał sobie wtedy istnienia problemów.

1960

LUDNOŚĆ ŚWIATA: 3 miliardy

STĘŻENIE DWUTLENKU WĘGLA W ATMOSFERZE: 315 ppm

DZIKIE OBSZARY: 62 procent

Jeśli istnieje dzikie miejsce, które wszyscy wyobrażają sobie bardzo wyraźnie, jest nim z pewnością afrykańska sawanna, zamieszkana przez słonie, nosorożce, żyrafy i lwy. Po raz pierwszy zobaczyłem ją na własne oczy w 1960. I choć zwierzęta, które tam ujrzałem, były wspaniałe, największe wrażenie wywarł na mnie bezkres krajobrazu. Masajskie słowo „Serengeti" oznacza „niekończące się równiny". To bardzo trafny opis. Można stanąć w dowolnym miejscu na Serengeti i mieć wrażenie, że dookoła jest całkiem pusto, a następnego ranka w zasięgu wzroku pojawi się milion gnu, ćwierć miliona zebr i pół miliona innych antylop. Minie kilka dni i znikną za horyzontem. Można zrozumieć tych, którzy wierzą, że te równiny nie mają końca, skoro są w stanie połknąć tak liczne stada.

Myśl, że ludzie — pojedynczy gatunek — mogliby pewnego dnia zagrozić istnieniu tak rozległego obszaru, zdawała się wówczas absurdalna. A jednak dokładnie tego obawiał się naukowiec-wizjoner Bernhard Grzimek. Był dyrektorem zoo we Frankfurcie, które udało mu się odbudować z wojennych zgliszczy. W latach pięćdziesiątych zaczął występować w niemieckiej telewizji, gdzie pokazywał przyrodę Afryki. Jego najsłynniejszy film *Serengeti nie może umrzeć* został nagrodzony Oscarem jako najlepszy film dokumentalny w 1959 roku. Pokazywał w nim swoją pracę nad monitorowaniem wędrówek stad gnu. Razem z synem Michaelem, który miał licencję pilota, śledzili stada w niewielkim samolocie. Zaznaczali na mapie trasę ich wędrówki, wiodącą przez rzeki i lasy, przez granice państw. W ten sposób zaczęli rozumieć funkcjonowanie całego ekosystemu Serengeti. Dotarło do nich, że trawy potrzebują roślinożernych zwierząt w takim samym stopniu, w jakim zwierzęta potrzebują traw. Trawy, na których nie pasły się stada, były zdecydowanie słabsze. W toku ewolucji przystosowały się do przycinania przez miliony wygłodniałych paszcz. Kiedy zęby zwierząt odcinały je na poziomie gruntu, rośliny używały zgromadzonych pod ziemią zapasów i odrastały. Kopyta zwierząt przebijały powierzchnię gleby, a nasiona dostawały się pod ziemię, dzięki czemu mogło wykiełkować kolejne pokolenie traw. Stada przemieszczały się dalej, a rośliny szybko odrastały, korzystając ze środków odżywczych dostarczanych przez złoża nawozu pozostawionego przez zwierzęta. To, co wydawało się aktem zniszczenia, było tak naprawdę kluczowym etapem w cyklu życiowym traw. Gdyby część roślinożernych zwierząt znikła, trawy

nie wytrzymałyby konkurencji ze strony wyższych roślin, które pojawiłyby się pod nieobecność zjadających je stad.

Była to historia współzależności, charakterystyczna dla nowej dziedziny badań — ekologii. W dziewiętnastym wieku zoolodzy zajmowali się głównie nazywaniem i klasyfikowaniem gatunków, teraz taksonomia zeszła na dalszy plan. Naukowcy zaczynali się specjalizować w wąskich dziedzinach. Niektórzy badali niewidoczne gołym okiem komórki, używając coraz lepszych mikroskopów i promieni Roentgena. Dzięki temu w 1953 roku doszło do odkrycia DNA, struktury odpowiadającej za dziedziczenie cech. Kolejną grupę stanowili ekolodzy, opracowujący metody statystyczne i sprzęt do badań nad społecznościami zwierząt. W latach pięćdziesiątych zaczęli dostrzegać zasady rządzące pozornie chaotycznym światem dzikiej przyrody i pojmować niekończącą się sieć różnorodności i współzależności, w której każdy gatunek zależy od innych. Zwierzęta i rośliny żyły w bliskich, często intymnych relacjach z innymi gatunkami, i choć sieć powiązań była spleciona ciasno, nie zwiększało to bynajmniej odporności i wytrzymałości ekosystemów. Nawet niewielka zmiana mogła je zaburzyć.

Grzimek wiedział, że nawet tak rozległy ekosystem jak Serengeti może okazać się delikatny. Wkrótce loty nad sawanną uświadomiły mu, że to właśnie rozmiar równin jest gwarancją stabilności tego środowiska.

Gdyby stada nie miały tyle przestrzeni, nie mogłyby się daleko przemieszczać, a rośliny nie miałyby czasu na regenerację. Zwierzęta wyjadłyby trawy aż do korzeni, po czym zaczęłyby głodować. Przez krótki czas skorzystałyby na tym drapieżniki. Polowanie na osłabioną zdobycz byłoby dużo łatwiejsze, ale z czasem i one by wyginęły. Gdyby obszar Serengeti się skurczył, równowaga ekosystemu zostałaby zachwiana, a wreszcie całkiem by się zawaliła.

Grzimek zdawał sobie sprawę, że Tanzania i Kenia ogłoszą wkrótce niepodległość, po czym mogą ulec naciskom społecznym i pozwolić na uprawę ziemi na terenie Serengeti. Poprzez filmy i inne działania zaczął więc motywować ludzi, którzy chcieli stawać w obronie sawanny i ocalić jej dziką naturę. Państwa afrykańskie dobrowolnie wprowadziły środki zapobiegawcze. Tanzania zakazała ludziom osiedlania się na obszarze Serengeti — wywołało to sporo kontrowersji. W Kenii utworzono rezerwaty nad rzeką Mara, żeby ochronić trasę migracji gnu.

Kwestia stała się jasna. Przyroda nie jest nieskończona. Dzikie obszary mają swoje granice. Trzeba je chronić. Kilka lat później stało się to oczywiste dla wszystkich.

1968

LUDNOŚĆ ŚWIATA: 3,5 miliarda

STĘŻENIE DWUTLENKU WĘGLA W ATMOSFERZE: 323 ppm

DZIKIE OBSZARY: 59 procent

Podczas wyjazdów w ramach kręcenia *Na tropach zwierząt* spędzałem czas z ludźmi z różnych stron świata. Żyli inaczej niż ja, odmiennie też postrzegali rzeczywistość. Przeczuwałem, że wprowadzenie ich i ich perspektywy do programu może okazać się bardzo interesujące dla brytyjskiej widowni. Zacząłem zmieniać punkt ciężkości podczas kręcenia za granicą. W kolejnych filmach pokazywałem życie i zwyczaje ludzi spoza Europy — z Azji Południowo-Wschodniej, z wysp zachodniego Pacyfiku i z Australii. Bardzo się w to zaangażowałem i postanowiłem, że muszę dowiedzieć się więcej o ich wierzeniach i trybie życia. BBC wyraziło zgodę na zmniejszenie mi wymiaru etatu. Przez następne kilka lat miałem co roku spędzać sześć miesięcy na kręceniu programów, a kolejne sześć na studiowaniu antropologii w London School of Economics. Wydawało mi się, że to świetny układ. Niestety, nie przetrwał zbyt długo.

W latach sześćdziesiątych BBC otrzymało zadanie wprowadzenia w Wielkiej Brytanii kolorowej telewizji.

Do tej pory funkcjonowała tylko czarno-biała. Miała się tym zająć nowa stacja nazwana BBC 2. W jej ramówce miały znaleźć się programy w nowym stylu, poruszające nieznane tematy. Nie określono dokładnie jakie, odpowiadać za to miał dyrektor programowy. Było to niezwykle kuszące stanowisko dla każdego, kto pracował w mediach, a na pewno dla mnie. Kiedy więc zaproponowano mi tę posadę w 1965 roku, zarzuciłem studia i wróciłem na stałe do BBC, na stanowisko kierownicze.

Zdarzyło się więc, że w 1968 roku, cztery dni przed Bożym Narodzeniem, stałem w reżyserce w BBC Television Centre i patrzyłem na zdjęcia przesyłane na Ziemię przez Apollo 8. Wszyscy wiedzieliśmy, że misja Apollo 8 będzie wyjątkowa. Po raz pierwszy załoga miała opuścić orbitę okołoziemską, dolecieć aż do Księżyca, okrążyć go, sfotografować ze strony, której ludzkość jeszcze nie widziała, i powrócić na Ziemię. Miał to być test przed próbą lądowania na Księżycu, która, zdaniem prezydenta Kennedy'ego, miała się wydarzyć jeszcze w tej dekadzie.

Chociaż celem misji był oczywiście Księżyc, nieoczekiwanie to zdjęcia naszej planety przykuły uwagę załogi, a następnie naszą. Frank Borman, Jim Lovell i Bill Anders jako pierwsi ludzie oddalili się od Ziemi na tyle, żeby zobaczyć ją w całości gołym okiem. Wywarło to na nich ogromne wrażenie. Trzy i pół godziny po starcie Jim Lovell powiedział do NASA: „No cóż, widzę całą Ziemię z głównego okna"[1]. Wszyscy trzej oniemieli. „Jakie to piękne", powtarzali tylko. Anders pospiesznie przyniósł aparat i stał się pierwszym człowiekiem, który sfotografował naszą planetę w całości. To wspaniałe ujęcie — Ziemia jest na nim do góry nogami, wypełnia cały kadr, a grudniowe słońce oświetla Amerykę Południową. Jednak to zdjęcie, tak jak pozostałe zrobione w trakcie misji, czekało w aparacie. Wywołano je dopiero po lądowaniu. Ekipy telewizyjne z całego świata zbierały się w studiach, żeby zobaczyć zdjęcia na żywo, przesłane elektronicznie.

Kiedy zbliżała się pora pierwszej transmisji z pokładu statku, na całym świecie ludzie zaczęli gromadzić się przed odbiornikami telewizyjnymi, liczniej niż kiedykolwiek. Zobaczyliśmy niewiarygodnie wyraźny obraz z wnętrza modułu załogowego. Po kilku słowach powitania Frank Borman wyjaśnił, że Anders, który operuje kamerą wideo, czeka, aż statek ustawi się w takiej pozycji, że z okna będzie widać Ziemię.

„Za chwilę będziemy we właściwym położeniu, żeby pokazać wam to, co koniecznie musicie zobaczyć", powiedział.

W tej chwili obraz jednak znikł. Kontrola misji w Houston zerwała się na równe nogi, przekazując załodze,

---

[1] Transkrypcję rozmów ze wszystkich misji Apollo można znaleźć na stronie NASA. To fascynująca lektura: https://www.nasa.gov/mission_pages/apollo/missions/index.html.

że transmisja się zacina. Czekaliśmy bezradnie. Po kilku minutach prób usłyszeliśmy, że problemem jest teleobiektyw. Anders zmienił go na szerokokątny, ale obrazu nadal nie było. „Nie macie przypadkiem założonego dekla?", zapytało Houston. „Nie", odparł oschle Borman. „Naprawdę to sprawdziliśmy".

I wtedy na ekranie pojawiły się zdjęcia. W ramce okna widniało coś okrągłego, ale szerokokątny obiektyw sprawił, że było niewielkie. Poważniejszym problemem okazał się czas ekspozycji. Światło słoneczne zalewało Ziemię, która była po prostu za jasna. „Widzimy tylko bardzo jasną plamę na ekranie", doniosło Houston. „Ciężko się zorientować, co to jest".

„To Ziemia", odparł Borman niemal przepraszającym tonem.

Załoga nie zdołała poprawić jakości obrazu, ale w zamian pokazali wnętrze pojazdu. Patrzyliśmy, jak astronauci jedzą lunch w stanie nieważkości. Jim Lovell złożył swojej mamie życzenia urodzinowe, po czym transmisja się zakończyła. „Mam nadzieję, że uda nam się naprawić inny obiektyw", powiedział Borman.

Musieliśmy czekać całą dobę na następną próbę transmisji. Dwudziestego trzeciego grudnia przed telewizorami zasiadł miliard ludzi — najwięcej w historii. Na początku Borman oznajmił z dumą: „Halo Houston, tu Apollo 8. Celujemy właśnie kamerą prosto w Ziemię". Załoga nie miała wizjera, więc nie mogli wiedzieć, co właściwie widać w kadrze.

„Mamy diabelnie dobry widok na skraj planety", odparło Houston, ale wtedy Ziemia znikła z kadru. Dowiedzieliśmy się przynajmniej, że teleobiektyw działa, kolejne minuty były jednak bardzo męczące. Słyszeliśmy tylko: „trochę w lewo, teraz odrobinę w prawo", kiedy załoga próbowała na ślepo złapać w kadrze Ziemię z wnętrza delikatnie obracającego się pojazdu, oddalonego o 290 tysięcy kilometrów.

Choć jednak kula ziemska przesuwała się po ekranie, co chwilę znikając, nie da się ukryć, że ćwierć ludzkości patrzyło na siebie z kosmosu. Prawie nie mrugaliśmy. To była planeta, na której wszyscy przebywaliśmy — wszyscy, z wyjątkiem trzech mężczyzn, którzy pokazywali nam ją ze statku kosmicznego.

Dzięki temu programowi nadanemu w święta 1968 roku telewizja umożliwiła nam rozumienie czegoś, czego wcześniej tak wyraźnie nie widzieliśmy i nie pojmowaliśmy, a co mogło być najważniejszą prawdą na temat nas samych — że nasza planeta jest mała, samotna i bezbronna. Że mamy tylko ją i nie znamy innego miejsca, w którym istniałoby *życie*. Że jest bezcenna.

Zdjęcia wykonane z pokładu Apollo 8 zmieniły sposób myślenia ludzkości. Sam Anders powiedział: „Przebyliśmy długą drogę, żeby zbadać Księżyc, ale naszym najważniejszym odkryciem była Ziemia". Zdaliśmy sobie wtedy sprawę, że miejsce, w którym żyjemy, nie jest bezkresne. Że nasze istnienie ma granice.

1971

LUDNOŚĆ ŚWIATA: 3,7 miliarda

STĘŻENIE DWUTLENKU WĘGLA W ATMOSFERZE: 326 ppm

DZIKIE OBSZARY: 58 procent

Przyjmując stanowisko administracyjne w BBC w 1965 roku, spytałem, czy raz na dwa lub trzy lata będę mógł na kilka miesięcy wyjechać i nakręcić jakiś film. Argumentowałem, że dzięki temu będę na bieżąco z technologią, która rozwija się błyskawicznie. Minęły trzy lata, zacząłem się więc zastanawiać nad tematem filmu.

W ubiegłych wiekach podróżnicy z Europy, którzy opuszczali kontynent i badali odległe krańce świata, musieli podróżować pieszo. Jeśli ich celem był całkowicie nieznany region, zatrudniali tragarzy, którzy transportowali jedzenie, namioty i inne wyposażenie konieczne do przetrwania z dala od cywilizacji. W dwudziestym wieku uległo to zmianie dzięki upowszechnieniu silników spalinowych. Odkrywcy mają teraz do dyspozycji land rovery i inne auta terenowe, małe samoloty, a nawet śmigłowce. Przychodziło mi jednak do głowy miejsce, które nadal trzeba było przemierzać pieszo — była to Nowa Gwinea.

Wnętrze tej długiej na mniej więcej dwa tysiące kilometrów wyspy, położonej na północ od Australii, zajmują pasma górskie porośnięte lasem tropikalnym. Nawet w latach siedemdziesiątych do wielu miejsc nie dotarł tam jeszcze nikt spoza wyspy, a jedyną metodą podróżowania była piesza wędrówka z długim sznurem tragarzy. Film o takiej wyprawie byłby z pewnością fascynujący.

W tym czasie wschodnią częścią Nowej Gwinei administrowała Australia. Skontaktowałem się więc ze znajomymi z australijskiej telewizji. Dowiedzieli się, że pewna firma górnicza wystąpiła o pozwolenie na wyprawę w głąb wyspy w celu poszukiwania minerałów. Zgodnie z obowiązującymi przepisami należało jednak najpierw sprawdzić, czy tereny, przez które miałaby przechodzić trasa ekspedycji, są zamieszkane. Na zdjęciach lotniczych nie zauważono chat i innych budowli, ale w jednym lub dwóch miejscach las wyglądał, jakby został wycięty ręką człowieka. Polany te były jednak tak małe, że śmigłowiec nie mógłby na nich wylądować. Żeby je zbadać, należało dotrzeć do nich piechotą. Powiedziano mi, że jeśli naprawdę chcę, mogę się przyłączyć do tej wyprawy razem z ekipą telewizyjną.

Mój plan był prosty. Najbliższą zamieszkaną przez Europejczyków miejscowością była stacja rządowa o nazwie Ambunti, położona nad Sepik — wielką rzeką, płynącą mniej więcej na wschód, równolegle do północnego wybrzeża wyspy i wpadającą do Oceanu Spokojnego. Szefem wyprawy miał być mieszkający tam Laurie Bragge, funkcjonariusz rządu, który miał zwerbować tragarzy. Zamierzaliśmy wyczarterować hydroplan, wylądować na rzece obok stacji i dołączyć do ekspedycji.

Była to najbardziej wyczerpująca podróż w moim życiu. Laurie zdołał zgromadzić setkę tragarzy, ale i tak było ich za mało w stosunku do zapasów jedzenia, których potrzebowaliśmy. Po jakichś trzech tygodniach śmigłowiec miał przylecieć z kolejną partią. Musieliśmy przedzierać się pieszo przez trudny teren. Co rano wyruszaliśmy zaraz po wschodzie słońca, wycinając ścieżkę przez najgęstszy las, jaki kiedykolwiek widziałem. Ślizgaliśmy się na błotnistych zboczach, wspinając na grzbiety gór, a potem zsuwaliśmy się po drugiej stronie przez nasiąknięte wodą zarośla, pokonywaliśmy w bród krętą rzekę, po czym znowu zaczynaliśmy wchodzić pod górę, i tak bez końca. O szesnastej rozbijaliśmy obóz, rozpinając plandeki, pod którymi chowaliśmy się przed ulewnym deszczem, który zaczynał padać codziennie o siedemnastej.

Trwało to od trzech i pół tygodnia, kiedy jeden z tragarzy zauważył odcisk ludzkiej stopy na skraju niewielkiej polanki, którą wycięliśmy w lesie. Najwyraźniej ktoś podszedł do naszego obozu poprzedniej nocy i nas obserwował. Poszliśmy dalej. Każdej nocy, po rozbiciu obozu wykładaliśmy podarunki — bryłki soli, noże i paczki szklanych koralików. Jeden z tragarzy siadał na pniu i wykrzykiwał co kilka minut, że jesteśmy przyjaciółmi i przynieśliśmy prezenty. Jednak idący naszym śladem ludzie najprawdopodobniej i tak go nie rozumieli, ponieważ na Nowej Gwinei istniało ponad tysiąc języków. Nawet niewielkie grupy posługiwały się odrębną mową. Wołaliśmy tak każdej nocy. Każdego rana podarunki leżały nietknięte na ziemi.

Po trzech tygodniach zaczęły nam się kończyć zapasy. Rozbiliśmy obóz, a przez następne dwa dni tragarze pracowicie ścinali olbrzymie drzewa, tworząc lądowisko dla śmigłowca, który miał przylecieć z zaopatrzeniem. Wszystko się udało, mogliśmy więc ruszyć dalej. Pakunki były znowu krzepiąco ciężkie, a tragarze już nie narzekali, gdyż od jakiegoś czasu oszczędzaliśmy jedzenie. Powoli zaczynaliśmy się zbliżać do terenów, które zostały wcześniej zbadane. Zaczęliśmy się obawiać, że cel ekspedycji nie zostanie osiągnięty, a nasz film nie powstanie.

Jednak pewnego ranka, kiedy obudziłem się pod swoją plandeką, zobaczyłem grupę niskich mężczyzn stojących kilka metrów ode mnie. Żaden z nich nie miał więcej niż sto pięćdziesiąt centymetrów wzrostu. Byli prawie nadzy, nosili tylko szerokie pasy z kory, pod które z przodu i z tyłu zatknęli parę liści. Niektórzy mieli przebite nosy, a w nich coś, co później okazało się zębami nietoperzy. Nasz kamerzysta Hugh, który zawsze spał z kamerą gotową do użycia, zaczął już

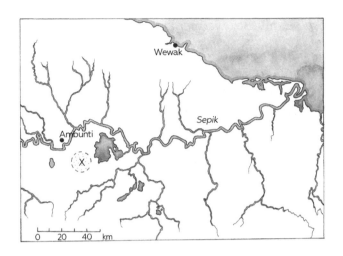

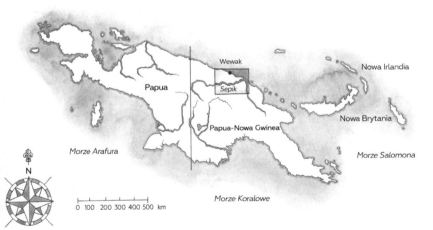

filmować. Mężczyźni wpatrywali się w nas szeroko otwartymi oczami, jakby nigdy nie widzieli kogoś takiego jak my. Bez wątpienia wpatrywałem się w nich z takim samym zdumieniem. Ja też nie widziałem nigdy kogoś takiego jak oni.

Ku mojemu zdziwieniu porozumieliśmy się bez trudu. Gestami przekazałem, że kończy nam się jedzenie. Wskazali na swoje usta, kiwnęli głowami i otworzyli torby, pokazując na korzenie taro, które właśnie zbierali. Wyjąłem grudki soli. W całej Nowej Gwinei używano jej jako środka płatniczego. Zaczęliśmy wymianę. Laurie zaczął ich wypytywać o nazwy najbliższych rzek. Było to trudniejsze do wyjaśnienia, ale ostatecznie zrozumieli, o co pytamy, i zaczęli je wymieniać. Chcieliśmy wiedzieć, ile ich znają. Wyliczali, najpierw na palcach, a potem zaczęli dotykać się po przedramionach, łokciach, barkach i szyjach. Tak naprawdę Laurie nie interesował się nazwami rzek. Zamierzał sprawdzić, jakich gestów używają do pokazania liczb. Wiedział, jak robią to inne grupy żyjące w pobliżu, więc obserwując mowę ciała niskich mężczyzn, mógł się zorientować, z kim mają kontakt.

Po jakichś dziesięciu minutach nasi goście zaczęli machać rękami i przewracać oczyma — dawali nam do zrozumienia, że chcą iść dalej. Pomachaliśmy więc w odpowiedzi, próbując im przekazać, że mogą nam przynieść więcej jedzenia następnego dnia. Po chwili odeszli.

Kolejnego ranka zjawili się ponownie. Tak jak liczyliśmy, przynieśli więcej korzeni taro. Poprosiliśmy, żeby nam pokazali swój obóz i przedstawili nam kobiety i dzieci. Przez chwilę nie mogliśmy się porozumieć — a może po prostu nie byli pewni, czy się zgodzić — przytaknęli i zaczęli nas prowadzić przez las. Szliśmy kilka kroków za nimi. Nie było łatwo w bardzo gęstym lesie. Straciliśmy ich z oczu, okrążając pień olbrzymiego drzewa. Po drugiej stronie ich nie znaleźliśmy, zniknęli. Zaczęliśmy wołać, ale nikt nie odpowiadał. Czyżbyśmy dali się wciągnąć w zasadzkę? Nie mieliśmy pojęcia. Po kilku minutach zawróciliśmy do obozu.

Być może tak dawniej żyli ludzie — w małych grupkach, które znajdowały wszystko, czego potrzebowały, wśród otaczającej ich przyrody. Korzystali z zasobów, które się odnawiały. Prawie nie produkowali odpadów. Nie naruszali równowagi ekologicznej, współistnieli ze środowiskiem. Mogli tak funkcjonować wiecznie.

Kilka dni później wróciłem do dwudziestego wieku, do swojego biura w budynku telewizji.

1978

LUDNOŚĆ ŚWIATA: 4,3 miliarda

STĘŻENIE DWUTLENKU WĘGLA W ATMOSFERZE: 335 ppm

DZIKIE OBSZARY: 55 procent

Kanał BBC 2 wprowadził wyjątkowo ambitny format — seriale złożone z trzynastu godzinnych lub pięćdziesięciominutowych odcinków, poświęcone różnym ważnym tematom. Pierwszy miał pokazać wysoką jakość odwzorowania kolorów przez BBC. Jako temat obraliśmy więc najpiękniejsze i najbardziej znane obrazy, rzeźby i budynki, jakie powstały w ciągu ostatniego tysiąclecia w Europie. Scenariusz napisał historyk sztuki sir Kenneth Clark, a produkcja trwała trzy lata. W Wielkiej Brytanii oglądało go trzy i pół miliona ludzi, w Stanach zgromadził dwa razy większą widownię. Recenzenci rozpływali się w zachwytach. Program odniósł taki sukces, że natychmiast zamówiłem kontynuację. Tym razem tematem miała być historia nauki. Następnie powstał cykl programów z okazji dwusetnej rocznicy powstania Stanów Zjednoczonych, a po nim mieliśmy kręcić kolejne. Byłem jednak przekonany, że powinniśmy wykorzystać ten format do nakręcenia najważniejszej opowieści — historii samego życia. Miała to być najbardziej kształcąca seria, jaką można sobie wyobrazić, i marzyłem o tym, że sam ją stworzę. Nie mogłem jednak tego połączyć z innymi obowiązkami. Od ośmiu lat pracowałem za biurkiem, uznałem więc, że najwyższy czas na zmianę. Znowu złożyłem wypowiedzenie i postanowiłem, że podsunę swój pomysł osobie, która zostanie zatrudniona na moje miejsce.

Tak też się stało. Zaakceptowano mój pomysł na serial. Nadałem mu tytuł *Życie na Ziemi*. Zgromadzenie zespołu zajęło trochę czasu. Właściwie za jednym zamachem napisałem scenariusz trzynastu odcinków. Wybraliśmy operatorów i zorganizowaliśmy możliwość nakręcenia przynajmniej sześciuset gatunków zwierząt w trzydziestu krajach. Od czasu do czasu miałem pojawić się na wizji, zarysowując kontekst, wyjaśniając trudniejsze kwestie i zapowiadając kolejne tematy. Pod koniec pobytu na danym kontynencie miałem znikać z kadru, a w kolejnym odcinku pojawiać się w nowym miejscu, kontynuując przerwaną opowieść. Konieczne miało być odbycie wielu podróży. By nakręcić całość, przemierzymy łącznie prawie dwa i pół miliona kilometrów — dla mnie samego będzie to oznaczało dwukrotne okrążenie globu. Sześć zespołów operatorów miało pracować przez wiele miesięcy. Nakręcenie niektórych scen wymagało szczególnych umiejętności i doświadczenia — mieliśmy filmować plankton oceaniczny, pająki, kolibry, ryby na rafie, nietoperze i dziesiątki innych stworzeń. Serial o historii

życia na planecie był największym pojedynczym projektem, nad jakim pracowałem. Miałem nań poświęcić trzy lata. Ekscytowała mnie ta wizja.

Jednym z najważniejszych fragmentów miała być opowieść o ewolucji małp i pojawieniu się przeciwstawnego kciuka. To cecha anatomiczna, która pozwala małpom chwytać gałęzie, ludziom zaś trzymać narzędzia, a potem długopis — ta umiejętność okazała się kluczowa w rozwoju naszego gatunku i cywilizacji. Mogliśmy pokazać to na przykładzie dowolnego gatunku małp, ale John Sparks, reżyser tego odcinka, postanowił, że najwięcej dramatyzmu zapewnią goryle. Dowiedział się, że wyjątkowa biolożka amerykańska, Dian Fossey, żyła wśród rzadkich goryli górskich w środkowoafrykańskiej Ruandzie. Udało jej się tak przyzwyczaić zwierzęta do obecności ludzi, że nawet obcy mogli się do nich zbliżyć, jeśli tylko Dian była przy tym. Stworzenia, z którymi pracowała, były poważnie zagrożone. Liczba ludności Ruandy stale rosła, a górskie lasy wycinano pod pola uprawne. Zostało mniej niż trzysta goryli górskich. Ich pojawienie się w telewizji mogło przyciągnąć uwagę światowej widowni. Dian to rozumiała, zgodziła się więc nam pomóc. W styczniu 1978 roku wyruszyliśmy więc do Ruandy.

Wylądowaliśmy w Ruhengeri, na malutkim lotnisku położonym tak blisko obozu Dian, jak tylko się dało. Czekało nas kilka godzin marszu po zboczu wulkanu do położonego w górach lasu, w którym mieszkała Dian. Czekał na nas Ian Redmond, młody naukowiec pracujący z Fossey. Przekazał nam złe wieści. Młody samiec, którego Dian znała od urodzenia i z którym czuła się bardzo związana, został znaleziony martwy i okaleczony. Zastrzelili go kłusownicy. Następnie odcięli mu głowę i dłonie — handlarze kupowali te części ciała i przerabiali je na pamiątki. Dian była zrozpaczona. Co więcej, zapadła na jakąś chorobę płuc i nie mogła opuszczać obozu. Mimo to obiecała, że spróbuje nam pomóc.

Wspinaczka była długa i wyczerpująca. Kiedy wreszcie dotarliśmy na miejsce, Dian leżała w swojej chacie, kasząc krwią. Ewidentnie była poważnie chora, ale twierdziła, że wkrótce dojdzie do siebie i zaprowadzi nas do goryli.

Następnego dnia nadal czuła się nie najlepiej, więc wyruszyliśmy do lasu z Ianem. Nigdy wcześniej nie byłem w podobnym miejscu. Mgła spowijała karłowate, powykręcane drzewa, wyrastające spomiędzy plątaniny dzikich selerów i pokrzyw, które sięgały nam do ramion. Znaleźliśmy ślady goryli, a w tym gąszczu bez większego trudu za nimi podążaliśmy. Po mniej więcej godzinie usłyszeliśmy trzask gałązek — byliśmy już blisko. Ostrożnie posuwaliśmy się naprzód, a Ian zaczął wydawać z siebie niskie chrząknięcia, ostrzegając goryle. Gdybyśmy je zaskoczyli, dominujący samiec mógłby nas zaatakować. Dotarliśmy do polanki, a Ian kazał się zatrzymać. Mieliśmy usiąść na otwartej przestrzeni, żeby nas dostrzegły. Kiedy zorientują się, że Ian jest z nami, uspokoją się.

Po krótkim odpoczynku ruszyliśmy dalej, a chwilę później dogoniliśmy rodzinę goryli. Pożywiały się, zrywając całymi garściami rośliny. Usiedliśmy i wpatrywaliśmy się w nie jak urzeczeni. Kilka minut później wstały i spokojnie odeszły. Ian powiedział, że nas zaakceptowały. Następnym razem możemy zabrać kamerę.

Nazajutrz filmowaliśmy więc szukające pożywienia goryle. Ian był naszym przewodnikiem, zachowywaliśmy też odpowiedni dystans. Właściwie nie zwracały na nas uwagi. W pewnym momencie John zasugerował, żebym opowiedział do kamery o tym, co czuję, gdy przebywam tak blisko nich. Powoli zbliżyliśmy się do jedzącej grupki. Ostrożnie przesuwałem się w ich stronę, żeby były widoczne w tle. Odwróciłem się do kamery i zacząłem mówić.

„Spojrzenie w oczy gorylowi jest bardziej znaczące i niesie ze sobą więcej wzajemnego zrozumienia niż spojrzenie w oczy jakiemukolwiek innemu, znanemu mi zwierzęciu", mówiłem. „Ich wzrok, słuch i węch są na tyle zbliżone do naszych, że postrzegają świat podobnie jak my. Tak jak one, żyjemy w grupach społecznych i tworzymy trwałe więzi rodzinne. Chodzą po ziemi, tak jak my, chociaż są od nas o wiele silniejsze. Gdyby więc możliwa była zamiana ludzkiego życia na zwierzęce, powinniśmy się sprzymierzyć z gorylami.

Samce są niesamowicie potężne, ale używają siły tylko do obrony swojej rodziny. Bardzo rzadko dochodzi do aktów przemocy wewnątrz stada. To naprawdę niesprawiedliwe, że człowiek obrał sobie goryla za symbol agresji i przemocy, ponieważ te cechy nie dotyczą goryli — dotyczą nas samych".

Chciałem, żeby ludzie dowiedzieli się, iż te stworzenia nie są brutalnymi bestiami, za jakie uchodzą. To nasi krewni, powinniśmy się więc o nie troszczyć. Niestety, proces wymierania gatunków, który w dzieciństwie widziałem zapisany w skałach, toczył się tu na moich oczach i dotyczył zwierząt, które poznałem i z którymi łączy nas najbliższe pokrewieństwo. Co więcej, to my byliśmy winni.

Następnego dnia odnaleźliśmy goryle w pobliżu tego samego miejsca. Usadowiły się na wzgórzu, na drugim brzegu małego strumienia. Martin Saunders rozstawił kamerę, Dicky Bird, operator dźwięku, przyczepił mi do koszuli niewielki mikrofon. John oznajmił, że pora, abym wyjaśnił, jak w procesie ewolucji doszło do pojawienia się przeciwstawnego kciuka i jakie to ma znaczenie.

Ostrożnie zszedłem do strumienia, przedostałem się na drugą stronę i na czworakach wspiąłem na zbocze, do miejsca, z którego powinno być widać w kadrze i mnie, i zwierzęta. John pokazał uniesiony kciuk. Zanim jednak zdążyłem cokolwiek powiedzieć, poczułem coś na głowie. Odwróciłem się i zobaczyłem olbrzymią samicę, która wyłoniła się z zarośli za mną i położyła mi rękę na włosach. Patrzyła na mnie swoimi brązowymi oczami. Po chwili zdjęła dłoń i odgięła moją dolną wargę, zaglądając mi do ust. Uznałem, że nie jest to najlepsza chwila na wyjaśnianie znaczenia przeciwstawnego kciuka. Wtedy coś weszło mi na nogi. Dwa gorylątka usiadły mi na stopach i bawiły się sznurowadłami.

Nie mam pojęcia, jak długo to trwało. Na pewno przynajmniej kilka minut. Rozpierało mnie szczęście. Gorylątka znudziły się i spokojnie poszły dalej. Matka patrzyła, a po chwili podniosła się i ruszyła za nimi.

Ostrożnie wróciłem do ekipy. Czułem, że spotkał mnie niesamowity zaszczyt.

Następnego dnia musieliśmy wracać do domu. Pożegnaliśmy się z Dian, obiecując, że pomożemy zebrać pieniądze na ochronę tych niezwykłych stworzeń, o które tak się troszczyła. Gdy tylko wróciliśmy do Londynu, dotrzymałem tej obietnicy.

———

Sfilmowaliśmy największe ssaki naczelne świata. Uznałem więc, że w *Życiu na Ziemi* powinniśmy też pokazać zwierzę, które przewyższa wszystkie inne rozmiarem — wieloryba.

Od stuleci odważni mężczyźni polowali na wieloryby z łódek, uzbrojeni tylko w harpuny. Początkowo to wieloryby były silniejsze. Znacznie przewyższały myśliwych rozmiarem, a co więcej, w ułamku chwili potrafiły zanurkować, uciekając w głębiny oceanu. W dwudziestym wieku szala gwałtownie przechyliła się w drugą stronę. Wynaleźliśmy metody namierzania wielorybów, wbijaliśmy w nie harpuny zakończone ładunkiem wybuchowym. Zbudowaliśmy fabryki, na lądzie i na wodzie, które są w stanie przetwarzać kilka gigantycznych tusz dziennie. Wielorybnictwo stało się przemysłem. Kiedy przyszedłem na świat, rocznie zabijano już pięćdziesiąt tysięcy wielorybów, przetwarzając ich tłuszcz, mięso i kości.

Pierwsze wieloryby wyewoluowały ze stworzeń lądowych. Rozmiar zwierząt żyjących na lądzie ogranicza mechaniczna siła kości, które się łamią, gdy zwierzę przekroczy określoną wagę. Woda podtrzymuje jednak zwierzęta, które w niej żyją, więc wieloryby mogły rosnąć coraz bardziej. Ostatecznie przewyższyły rozmiarem wszystkie stworzenia lądowe. Nozdrza przemieściły się na szczyt głowy, przednie kończyny i ogon przekształciły w płetwy, a tylne kończyny zanikły. Od dziesiątków milionów lat stanowią ważny element ekosystemu otwartych wód. Setki tysięcy osobników przemieszczały się od morza do morza.

Głównym czynnikiem ograniczającym życie w oceanach jest dostępność pożywienia. W odpowiednich warunkach rośliny i zwierzęta zamieszkują wody powierzchniowe, a po śmierci opadają głębiej, tworząc tak zwany śnieg morski. Gdy brakuje pożywienia, wody powierzchniowe oceanów stają się niemal sterylne. Tak jak rośliny lądowe potrzebują nawozów, słońca i wody, fitoplankton, który odżywia się za pomocą fotosyntezy i stanowi podstawę morskiego łańcucha pokarmowego, potrzebuje do życia związków azotu unoszących się w oświetlonych słońcem wodach powierzchniowych. W miejscach, w których rozkładający się morski śnieg wzbija się, a prądy unoszą go w górę, nad podmorskie szczyty i pasma górskie, rozwija się fitoplankton, a dzięki niemu także populacja ryb. Gdyby nie wieloryby, pozostałe obszary oceanu tworzyłyby rozległą, błękitną pustynię. Wieloryby są tak olbrzymie, że kiedy nurkują albo się wynurzają, wzburzają otaczającą je wodę. Dzięki temu substancje odżywcze unoszą się blisko powierzchni. Wypróżniając się, wzbogacają wodę. Ten proces, nazywany „pompą wielorybią", odgrywa istotną rolę w użyźnianiu wód oceanicznych. Uważa się wręcz, że w niektórych obszarach dzięki wielorybom do wód powierzchniowych dociera więcej substancji odżywczych, niż przynoszą ze sobą uchodzące do morza rzeki[1]. W holocenie oceany potrzebują wielorybów,

---

[1] Rola waleni w rozprzestrzenianiu składników odżywczych została odkryta dopiero niedawno. Wieloryby roznoszą je w poziomie, przemieszczając się między żerowiskami a lęgowiskami, oraz w pionie, poprzez strugi kału i uryny. Szacuje się, że zdolność wielorybów do przenoszenia składników odżywczych z dala od miejsc, w których się te składniki kumulują, zmalała o pięć procent, odkąd rozpoczęto

w dwudziestym wieku zaś ludzie zabili ich prawie trzy miliony[2].

Wieloryby nie są w stanie przetrwać przy tak intensywnych polowaniach. Żyją bardzo długo, jeśli się im na to pozwoli. Kaszaloty spermacetowe potrafią dożyć siedemdziesięciu lat. Samice dojrzewają płciowo, kiedy kończą dziewięć lat. Ciąża trwa ponad rok, a zachodzą w nią raz na trzy do pięciu lat. W miarę rozwoju metod polowań wielorybnicy zaczęli wybierać największe zwierzęta, w ten sposób maksymalizując zysk. Wieloryby rodziły młode za rzadko, żeby zastąpić zabite osobniki.

Gdy przystępowaliśmy do prac nad *Życiem na Ziemi*, jeszcze nikomu nie udało się sfilmować żywego płetwala błękitnego na otwartych wodach, a w każdym razie nie udało nam się do takich nagrań dotrzeć. Zamierzaliśmy być pierwsi, ale w latach siedemdziesiątych dwudziestego wieku populacja tych zwierząt

komercyjne połowy. Więcej zob. Doughty C.E., *Global nutrient transport in a world of giants*, 2016, https://www.ncbi.nlm.nih.gov/ pmc/ articles/PMC4743783. O badaniach prowadzonych w Zatoce Maine można przeczytać w: J. Roman, J.J. McCarthy, *The Whale Pump: Marine Mammals Enhance Primary Productivity in a Coastal Basin*, PLoS ONE 5(10): e13255, 2010, https://doi.org/10.1371/journal. pone.0013255.

[2] Niedawno ukończono pierwsze badania, których celem było oszacowanie globalnego wpływu wielorybnictwa. Wynika z niego, że wielorybnictwo było przyczyną największego uboju zwierząt w skali globalnej w całej historii ludzkości. Więcej zob. D. Cressey, *World's whaling slaughter tallied*, „Nature", 2015, https://www.nature.com/ news/world-s-whaling-slaughter-tallied-1.17080.

drastycznie się zmniejszyła. Szacuje się, że zanim zaczęto połowy na skalę przemysłową, w oceanach żyło dwieście pięćdziesiąt tysięcy płetwali błękitnych. Kiedy zaczęliśmy myśleć o serialu, zostało ich zaledwie parę tysięcy. Żyły rozproszone, a wielorybnicy nadal na nie polowali, znalezienie ich było więc prawie niemożliwe.

Zdecydowaliśmy więc, że w zamian poszukamy humbaków żyjących w pobliżu Hawajów. Dysponowaliśmy narzędziem, które miało nam w tym pomóc — hydrofonem.

Pod koniec lat sześćdziesiątych amerykański biolog Roger Payne, specjalizujący się w nagrywaniu ultradźwięków wydawanych przez nietoperze, zajął się doniesieniami marynarki Stanów Zjednoczonych o pieśniach dobiegających z oceanu. Stacje nasłuchowe do wykrywania radzieckich łodzi podwodnych, oprócz charakterystycznych dźwięków śrub napędowych, zarejestrowały dziwne, niemalże muzyczne serenady. Payne odkrył, że głównym źródłem tych pieśni były humbaki, których żyło wówczas około pięciu tysięcy. Dzięki jego nagraniom okazało się, że pieśni humbaków są długie i złożone, a dzięki niskiej częstotliwości ich dźwięki niosą się w wodzie na setki kilometrów. Humbaki, które zamieszkują te same obszary, uczą się pieśni od innych osobników. Każda pieśń ma własny motyw przewodni, a poszczególne samce tworzą własne wariacje, które zmieniają się z czasem.

Można powiedzieć, że wieloryby wytworzyły kulturę muzyczną.

Payne nagrał płyty winylowe z tymi pieśniami. Ukazały się w latach siedemdziesiątych i zdobyły niezwykłą popularność, zmieniając stosunek ludzi do wielorybów. Stworzenia, które dotąd postrzegano jako źródło tłuszczu, nagle zyskały osobowość. Ich żałobne pieśni interpretowano jako wołanie o pomoc. Napięta pod względem politycznym atmosfera lat siedemdziesiątych sprzyjała poruszeniu zbiorowego sumienia. Entuzjaści zaczęli prowadzić kampanie przeciwko połowom wielorybów. Początkowo były to rozproszone protesty, wkrótce jednak stały się masowe. Ludzkość nieraz doprowadziła do wymarcia różnych gatunków zwierząt, teraz jednak, dzięki niewyraźnemu, nakręconemu z ręki przez jakiegoś odważnego aktywistę filmowi, zagłada wielorybów została pokazana publiczności, która wyraziła sprzeciw. Lśniąca od krwi powierzchnia oceanu i rzeź prowadzona na masową skalę wyszły na jaw. Zabijanie wielorybów przestało być uznawane za pozyskiwanie żywności. Stało się zbrodnią.

Nikt nie chciał, żeby jakieś zwierzęta wyginęły. Ludzie coraz więcej wiedzieli o świecie przyrody i zaczęli się nim przejmować. Na całym świecie pomagała im w tym telewizja.

Życie na Ziemi pojawiło się na ekranach w 1979 roku, po trzech latach pracy. Serial kupiło sto stacji telewizyjnych na całym świecie, oglądało go pół miliarda ludzi. Pierwszy odcinek był wstępem. Dałem mu tytuł *Nieskończona różnorodność*, ponieważ zaprezentowaliśmy w nim szeroki wachlarz gatunków roślin i zwierząt. Chcieliśmy od początku uświadomić widzom, że różnorodność jest niezbędna dla istnienia życia. W dalszych jedenastu odcinkach wyjaśnialiśmy różne zwroty wydarzeń, które doprowadziły do istnienia tego bogactwa, pod koniec zaś serialu, w ostatniej, trzynastej części, skupiliśmy się tylko na jednym gatunku — naszym własnym.

Nie chciałem sugerować, że ludzkość jest w jakiś sposób odizolowana od królestwa zwierząt. Nie zajmujemy w nim wyjątkowego miejsca. Nie przesądzono, że zajmujemy najwyższy szczebel drabiny ewolucji. Jesteśmy po prostu jednym z wielu gatunków. Udało nam się jednak pokonać wiele ograniczeń, które dotykają wszystkie inne zwierzęta. W ostatnim odcinku serialu stanąłem więc na placu Świętego Piotra w Rzymie, otoczony przez tłum innych osobników *Homo sapiens*, pochodzących z całego świata, i próbowałem to wytłumaczyć.

„Ty i ja", mówiłem, „należymy do najbardziej dominującego i powszechnego gatunku zwierząt na Ziemi. Zamieszkujemy pola lodowe w okolicach biegunów i lasy tropikalne na równiku. Wspięliśmy się na najwyższe góry i nurkowaliśmy w głębinach mórz. Udało nam się nawet opuścić Ziemię i stanąć na Księżycu. Bez wątpienia jesteśmy najliczniejszym gatunkiem dużych zwierząt. Jest nas około czterech miliardów. Zdobyliśmy tę pozycję z prędkością meteoru, mniej więcej w ciągu ostatnich dwóch tysięcy lat. Wygląda na to, że udało nam się przełamać bariery, które ograniczają aktywność i liczebność innych zwierząt".

Byłem wtedy po pięćdziesiątce, a od chwili mojego przyjścia na świat liczba ludzkości się podwoiła. Coraz bardziej oddalaliśmy się od świata przyrody, żyliśmy inaczej, po swojemu. Udało nam się wyeliminować większość zagrażających nam drapieżników. Potrafiliśmy kontrolować wiele chorób. Opracowaliśmy metody produkcji żywności i cieszyliśmy się wygodnym życiem. W przeciwieństwie do wszystkich innych gatunków w całej historii naszej planety, nie musieliśmy się przejmować ewolucją i selekcją naturalną. Nasze ciała nie zmieniły się znacząco w ciągu ostatnich dwustu tysięcy lat, ale coraz bardziej odcinaliśmy się od otaczającego nas środowiska. Nic nas już nie ograniczało ani nie powstrzymywało. Jeśli się nie zreflektujemy, będziemy zużywać zasoby naturalne, dopóki się nie skończą.

Odważne przedsięwzięcia Dian Fossey, sukcesy odnoszone przez aktywistów protestujących przeciwko połowom wielorybów, Peter Scott i jego ruch na rzecz ochrony ptaków wodnych, reintrodukcja oryksa arabskiego, utworzenie rezerwatów tygrysów w Indiach — skutki działań stale rosnącej armii przyrodników, którzy z oddaniem zbierali fundusze i domagali się zmian w prawie, nie wystarczą. Ponieważ *Homo sapiens* zawsze chce więcej, nie da się uniknąć następnego etapu. Wkrótce zaczną znikać całe siedliska.

1989

LUDNOŚĆ ŚWIATA: 5,1 miliarda

STĘŻENIE DWUTLENKU WĘGLA W ATMOSFERZE: 353 ppm

DZIKIE OBSZARY: 49 procent

Swojego pierwszego orangutana zobaczyłem 25 lipca 1956 roku podczas trzeciego wyjazdu z cyklu *Na tropach zwierząt*. Było to pamiętne spotkanie. Nigdy wcześniej nie widziałem małpy człekokształtnej na wolności. Ogromny samiec — czerwona masa futra huśtająca się wśród gałęzi — spoglądał na mnie z góry z zainteresowaniem, a nawet z lekką wzgardą. Ujęciom, które nakręciliśmy, daleko było do doskonałości. Zwierzę było częściowo schowane, a co gorsza, filmowaliśmy pod słońce, ale tak czy inaczej, według mojej wiedzy, jako pierwsi pokazaliśmy w telewizji nagrania orangutanów na wolności. Tego osobnika wytropili dla nas miejscowi myśliwi z długiego domu, w którym się zatrzymaliśmy, w połowie drogi w górę rzeki Mahakam we wschodniej części Borneo. Kiedy zbieraliśmy się do odejścia, jeden z nich strzelił do niego. Obróciłem się, oburzony. „Dlaczego to zrobiłeś?", spytałem. „Takie małpy niszczą uprawy, bez których nie nakarmię rodziny", odparł. Czy miałem prawo powiedzieć mu, że nie powinien tego robić?

Lasy deszczowe to wyjątkowo cenne siedliska. Żadne inne nie dorównują im pod względem bioróżnorodności. Są domem dla ponad połowy wszystkich gatunków lądowych naszej planety. Rosną w wilgotnych, tropikalnych regionach, które obfitują w zasoby niezbędne dla prawie wszystkich roślin — słodką wodę i światło słoneczne. W okolicach równika słońce świeci przez dwanaście godzin dziennie. Właściwie nie występują tam pory roku. Prądy powietrzne przenoszą wilgoć, a roczne opady sięgają czterech metrów. Las ma też własny obieg wody — każdego ranka po wschodzie słońca wilgoć paruje z bilionów liści, by za jakiś czas opaść ponownie w postaci deszczu.

Jest to tak doskonałe środowisko dla roślin, że nigdzie indziej na całej planecie nie można zaobserwować równie potężnej i żywiołowej walki o przestrzeń życiową. Olbrzymie drzewa, osiągające czterdzieści metrów wysokości, rozpościerają gałęzie na wszystkie strony, aby zyskać dostęp do światła. Razem tworzą coś rzadko spotykanego — środowisko w pełni trójwymiarowe. Nad wszystkim góruje sklepienie z liści, a gałęzie pełnią rolę autostrad dla stworzeń, które nie potrafią latać. Dużo niżej, na zacienionym podłożu, plątanina potężnych korzeni i cieniutkich odnóżek tworzy podparcie dla masywnych pni. Tysiące roślin wspierają się na nieskończenie wiele sposobów. Niektóre pną się szybko w górę po drzewach, żeby zapewnić sobie dostęp do światła. Inne, których nasiona prawdopodobnie przenoszą ptaki, znajdują sobie miejsce na gałęziach. Jeszcze inne żyją niemal w mroku blisko ziemi. Rosną wolno, czerpiąc składniki odżywcze z dywanu opadłych liści.

Wśród tej całej roślinności kryją się zwierzęta. Przeważają wśród nich gatunki niewielkich rozmiarów. Występują tu liczne bezkręgowce, małe ssaki i ptaki. Żywią się nasionami, korą, owocami i liśćmi, wysysają soki roślin i nektar. Przyrodnik próbujący rozplątać tę sieć będzie się wciąż zachwycał zachowaniem i trybem życia każdego z nich. Można tam znaleźć osy, które większość życia spędzają wewnątrz malutkich fig, wciornastki skręcające się wewnątrz kwiatów, kijanki, które pływają w podobnych do kielicha liściach dzbaneczników, jaszczurki, których skóra i wypustki tak przypominają pnie drzew, że nie sposób je zauważyć, dopóki się nie ruszą. Lasy deszczowe to miejsca, w których ewolucja przybiera najbardziej szalone formy.

Brak pór roku w tropikach prowadzi do usunięcia ograniczeń czasowych, a to także sprzyja bioróżnorodności. Cykl życia roślin nie zależy od klimatu, więc kwitnienie, owocowanie i wytwarzanie nasion może występować w dowolnym momencie. Niektóre drzewa owocują prawie bez przerw. Inne rosną miesiącami, a nawet latami, po czym znienacka obsypują się kwiatami i owocują. Dzięki temu zapylanie, konsumpcja owoców i przenoszenie nasion nie są zjawiskami sezonowymi, tak jak się to dzieje w lasach na północy i południu globu. Pożywienie dostępne jest przez cały rok i korzystają z niego dziesiątki gatunków należących do różnych grup zwierząt. Większość z milionów gatunków występuje niezbyt licznie, a ich zasięg ograniczony jest do niewielkiego obszaru. Wiele z nich prowadzi bardzo wyspecjalizowany tryb życia. Dany owad może występować tylko na jednym gatunku roślin. W rezultacie powstaje oszałamiająco złożona sieć powiązań, a każdy gatunek jest kluczowy dla istnienia całego ekosystemu.

Przykładem może być orangutan, o którym nie mogłem zapomnieć. Ten gatunek człekokształtnych występuje w lasach Borneo i Sumatry i odgrywa ważną rolę w roznoszeniu nasion wielu gatunków drzew. Samice orangutanów opiekują się potomstwem przez dziesięć lat, ucząc je kiedy i jak zbierać dziesiątki różnych owoców. Ze względu na swój rozmiar i niemal całkowicie wegetariańską dietę potrzebują bardzo dużo pokarmu. Bezustannie przemieszczają się w poszukiwaniu dojrzałych owoców. Część pestek wypluwają od razu podczas jedzenia, a resztę noszą w żołądku całymi dniami. Wydalają je z odchodami wiele kilometrów dalej. Obie te metody zwiększają szanse na wykiełkowanie. Niektóre gatunki roślin są wręcz całkowicie zależne od orangutanów.

U podstaw bioróżnorodności lasów deszczowych leży zadziwiająca mnogość gatunków drzew. Tę cechę skutecznie niszczymy. Na przestrzeni lat wiele razy bywałem w Azji Południowo-Wschodniej. Od lat sześćdziesiątych Malezja, a potem także Indonezja zaczęły zastępować wielogatunkowe lasy plantacjami palm olejowych. Kiedy w 1989 roku pojechałem do Malezji podczas pracy nad serialem *Na ścieżkach życia*, plantacje pokrywały już

dwa miliony hektarów. Pamiętam, że jechaliśmy wzdłuż rzeki w poszukiwaniu nosaczy. Otaczała nas znajoma ściana zieleni, a spomiędzy liści co chwilę wylatywały ptaki. Pozwoliłem sobie wierzyć, że może wszystko jest w porządku. Jednak w drodze powrotnej lecieliśmy nad tym obszarem samolotem i zobaczyłem, jak to wszystko naprawdę wygląda. Wzdłuż rzeki ciągnął się pas lasu szeroki mniej więcej na osiemset metrów, tak wąski i odsłonięty, że nie miał szans na przetrwanie. Wszędzie dookoła, jak okiem sięgnąć, widać było tylko jeden gatunek drzew — rosnące w równych rzędach olejowce.

Bardzo trudno pogodzić się ze znikaniem tak bogatych i wyjątkowych lasów. Mieszkańcy Azji Południowo-Wschodniej szli po prostu w ślady ludzi Zachodu. Na zdjęciach satelitarnych Europy i Ameryki Północnej widać niewielkie plamy ciemnej zieleni, otoczone przez szerokie pasy pól uprawnych. Prawdę mówiąc, zawsze istniały dwa powody wycinki lasów. Ludzie potrzebują zarówno drewna, jak i wykarczowanej ziemi. Nic dziwnego, że *Homo sapiens* niszczy lasy tak skutecznie i z determinacją. Szacuje się, że od początków cywilizacji ubyły nam trzy biliony drzew[1]. To, co ma

---

[1] Strona www.globalforestwatch.org to przydatne narzędzie, które śledzi zmiany w powierzchni lasów na całym świecie. Monitorowanie tych zmian nie jest łatwe. Z powietrza plantacje przypominają lasy naturalne, choć są bardzo ubogie pod względem składu gatunkowego. Global Forest Biodiversity Initiative (https://www.gfbinitiative.org) podejmuje próby bardziej precyzyjnej oceny bioróżnorodności lasów. Jeden z czołowych członków tej organizacji niedawno oszacował

miejsce obecnie, jest tylko najnowszym rozdziałem globalnej deforestacji, która trwa od tysiącleci.

Obecne czasy są przełomowe dla lasów deszczowych. I oczywiście działamy z rozmachem, w tempie, które zwiększa się co roku. To zresztą typowe dla drugiej połowy dwudziestego wieku — drugiej połowy mojego życia. Zniknęło już pięćdziesiąt procent lasów deszczowych świata. Orangutany z Borneo nie są w stanie przetrwać bez lasów, więc ich populacja zmniejszyła się o dwie trzecie od czasu mojego pierwszego spotkania z nimi, sześćdziesiąt lat temu[2]. Wciąż łatwo je znaleźć i sfilmować, ale nie dlatego, że jest ich tak wiele — po prostu żyją w sanktuariach i ośrodkach rehabilitacji dzikich zwierząt, pod opieką przyrodników zaniepokojonych tempem obserwowanych zmian.

Nie możemy wycinać lasów w nieskończoność, a wszystko, co nie może trwać wiecznie, oznacza zachwianie równowagi w przyrodzie. Jeśli ją zaburzamy, szkody stają się coraz poważniejsze, aż wreszcie cały system zaczyna się walić. Żadne środowisko, nawet największe, nie jest już bezpieczne.

---

globalną liczbę drzew oraz liczbę drzew wyciętych przez człowieka. Więcej zob. *Mapping tree density at a global scale*, „Nature" 2015, nr 525, s. 201–205, https://doi.org/10.1038/nature14967.

[2] W 2016 roku Międzynarodowa Unia Ochrony Przyrody (IUCN) oszacowała, że na Borneo żyje 104 700 orangutanów. W 1973 roku było ich 288 500. Do roku 2025 liczba ta spadnie o kolejne 47 000 osobników (https://www.iucnredlist.org/species/17975/123809220# population).

1997

LUDNOŚĆ ŚWIATA: 5,9 miliarda

STĘŻENIE DWUTLENKU WĘGLA W ATMOSFERZE: 360 ppm

DZIKIE OBSZARY: 46 procent

Największe środowisko tworzą oceany. Pokrywają ponad siedemdziesiąt procent powierzchni naszej planety, ale ze względu na swoją głębokość stanowią aż dziewięćdziesiąt siedem procent obszarów, których nie da się zasiedlić. Prawie na pewno życie na Ziemi zaczęło się w oceanie. Prawdopodobnie pierwsze były mikroby żyjące wokół strumieni ciepłej wody wypływających przez kominy geotermalne z dna oceanicznego, wiele kilometrów pod powierzchnią. Przez trzy miliardy lat drogą doboru naturalnego te proste, pojedyncze komórki udoskonalały swoją budowę wewnętrzną. Powstanie komórek o skomplikowanej strukturze, porównywalnej ze strukturą komórek, z których jesteśmy zbudowani, trwało półtora miliarda lat. Potrzeba było kolejnego półtora miliarda, żeby komórki zaczęły się łączyć i działać w sposób skoordynowany, tworząc organizmy wielokomórkowe[1].

[1]   Komórki eukariotyczne najprawdopodobniej pojawiły się od 2 miliardów do 2,7 miliarda lat temu, czyli mniej więcej 1,5 miliarda lat po powstaniu życia (https://www.scientificamerican.com/

Te pierwsze mikroby wytwarzały metan jako produkt uboczny metabolizmu. Wydostawał się na powierzchnię, powoli zmieniając atmosferę. Na Ziemi było wtedy dużo chłodniej. Metan to gaz cieplarniany, dwadzieścia pięć razy silniejszy niż dwutlenek węgla. Jego obecność w atmosferze doprowadziła do ocieplenia klimatu, a to z kolei umożliwiło rozwój życia.

Później pojawiły się mikroskopijne organizmy zwane cyjanobakteriami, które jako pierwsze zaczęły przeprowadzać fotosyntezę i wykorzystywać energię słoneczną do budowy tkanek. Gaz, który przy tym produkowały — tlen — wywołał prawdziwą rewolucję. Umożliwił on uruchomienie bardziej wydajnych sposobów zasilania organizmów w energię, a tym samym powstanie bardziej złożonych form życia. Cyjanobakterie są wciąż istotnym elementem fitoplanktonu, który unosi się w wodzie bliżej powierzchni oceanu. Wszyscy pochodzimy od stworzeń morskich — ty, ja i inne zwierzęta lądowe. Wszystko zawdzięczamy oceanom.

Pod koniec lat dziewięćdziesiątych filmowcy z Działu Historii Naturalnej BBC zaproponowali nakręcenie serialu w całości poświęconego życiu w oceanach. Nadali mu tytuł *Błękitna planeta*. Nie ma ekosystemu,

article/when-did-eukaryotic-cells). Organizmy wielokomórkowe pojawiły się dopiero pół miliarda lat temu, czyli mniej więcej 1,5 miliarda lat później (https://astrobiology.nasa.gov/news/how-did-multicellular-life-evolve).

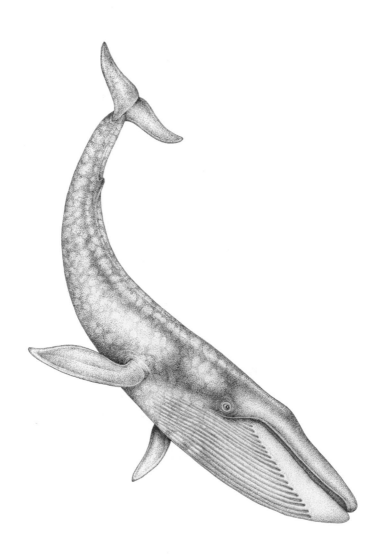

w którym filmowanie i obserwacja zachowań zwierząt byłyby trudniejsze i droższe niż w morzu. Kiepska pogoda, słaba widoczność i problemy ze znalezieniem zwierząt w trójwymiarowym bezmiarze oceanu mogą zmienić dzień pracy na planie w koszmar. Jednocześnie ocean daje możliwość spojrzenia na przyrodę w zupełnie nowy, zaskakujący sposób. Pierwsi filmowcy, którzy pokazali życie podwodne w telewizji — Hans Hass, biolog z Wiednia, i jego żona Lotte, pracowali w Morzu Czerwonym. Następny był kapitan Cousteau, wynalazca aparatu oddechowego, do dziś używanego przez nurków. Niestrudzenie, rok po roku, filmował życie w oceanach na całym świecie. Jednak mimo pracy tych pionierów sfilmowano zaledwie ułamek nieskończonego bogactwa podwodnego świata, o wiele bardziej różnorodnego niż życie na lądzie.

Praca nad *Błękitną planetą* trwała prawie pięć lat. Zdjęcia powstawały w dwustu miejscach. Specjalizujący się w pracy pod wodą operatorzy sfilmowali mątwy na rafie koralowej w trakcie godów, wydry morskie szukające małży w podwodnych lasach listownicowców, kraby pustelniki walczące o puste muszle, setki głowomłotów gromadzących się w pobliżu góry podwodnej na Pacyfiku, żeby się rozmnażać. Najtrudniejsze i najbardziej niesamowite były prawdopodobnie ujęcia polowania na tuńczyki i żaglice na otwartych wodach. Do szukania nowych gatunków w głębinach oceanu używano statków podwodnych, dzięki którym sfilmowano też śluzice pożerające truchło wala szarego. Moim wkładem była narracja.

Jedna z ekip przez trzy lata próbowała sfotografować płetwale błękitne z powietrza, przy użyciu mikrolotu. Te ujęcia otwierają cały serial. Wreszcie udało się pokazać największe zwierzę, jakie kiedykolwiek żyło na naszej planecie, prawie nigdy niewidywane żywe i o którym wiedzieliśmy bardzo niewiele. Niewykluczone jednak, że największym sukcesem *Błękitnej planety* była rejestracja podwodnych polowań — tak dramatycznych, że dorównują scenom z Serengeti. Tuńczyki zaganiają ławicę mniejszych ryb, stłaczając je pod powierzchnią i okrążając, tak że spanikowane ofiary zbijają się w zwartą kulę. Wtedy tuńczyki atakują, rzucają się na kulę ze wszystkich stron niczym błyskawice. Przez spienione wody napływają stada rekinów i delfinów, by się przyłączyć. Delfiny atakują z dołu, otaczając kulę kurtyną bąbelków, przez co ławica stłacza się jeszcze bardziej. A kiedy wydaje się, że wszystko się powoli wycisza, nadlatują głuptaki. Rzucają się z góry i rozcinają wodę, by wynurzyć się z dziobami pełnymi ryb. Czasem pod koniec całej sceny pojawia się wieloryb, który napełnia olbrzymią paszczę resztkami ławicy.

Podobne polowania z pewnością odbywają się tysiące razy dziennie, ale to my pierwsi obserwowaliśmy je spod powierzchni wody. Żadne inne zjawisko naturalne nie było tak trudne do przewidzenia, a przez to także do sfilmowania. W pewnym sensie nasz zespół robił to samo, co tuńczyki, delfiny, rekiny i głuptaki — czekał na nagłe pojawienie się efemerycznego „bieguna" — wielkiej chmury planktonu, który spożywał różne związki unoszące się z głębin oceanu z wznoszącym prądem morskim. Takie wykwity planktonu przyciągają wielkie ławice małych ryb, które pokonują często setki kilometrów, by do nich dotrzeć. Kiedy tylko pojawi się wystarczająco dużo ryb, drapieżniki ruszają do ataku, a w wodzie zaczyna się kotłować. Filmowcy, którzy próbują to uchwycić, są zawsze w tyle. Wpatrują się w horyzont, próbując wypatrzeć nurkujące ptaki albo stada delfinów. Ekipa *Błękitnej planety* spędziła czterysta dni na takich bezowocnych obserwacjach. W tych rzadkich okazjach, kiedy w morzu zaczynało się coś dziać, musieli płynąć w ślad za przemieszczającą się ławicą i jak najszybciej nurkować, bo po chwili ze zwartej kuli ryb pozostają tylko resztki. Było to ryzykowne przedsięwzięcie, ale kiedy się udało, powstały ujęcia, których nie da się z niczym porównać.

Komercyjne połowy na dużą skalę zaczęły się na wodach międzynarodowych w latach pięćdziesiątych. Z prawnego punktu widzenia była to ziemia niczyja, nie obowiązywały tam żadne ograniczenia. Początkowo prowadzone na nieeksploatowanych wcześniej wodach połowy były naprawdę obfite, ale po kilku latach połowów w danym miejscu zaczęto wyciągać puste sieci. Floty rybackie przemieściły się więc dalej. Ocean był przecież tak ogromny, zdawał się wręcz nie mieć końca. Gdy przegląda się statystyki połowów, można zaobserwować, że z biegiem czasu doprowadzano do całkowitego zaniku ryb w kolejnych partiach oceanów. W połowie lat siedemdziesiątych pozostało już tylko kilka obfitujących w ryby obszarów — morza okalające wschodnią Australię, południową Afrykę, wschodnie wybrzeża Ameryki Północnej i Ocean Południowy[2]. Na początku lat osiemdziesiątych rybołówstwo stało się tak mało opłacalne, że duże floty zaczęły korzystać ze wsparcia swoich macierzystych państw, które — w rezultacie — płaciły im za przeławianie[3]. Pod koniec dwudziestego wieku ludzie zdołali wyłowić dziewięćdziesiąt procent dużych ryb żyjących w oceanach.

Najbardziej brzemienne w skutki są połowy największych i najcenniejszych ryb. Usuwa się w ten sposób nie tylko drapieżniki, które znajdują się na szczycie łańcucha pokarmowego, ale również największe osobniki danego gatunku — ogromne dorsze i lucjany. W rybiej

[2] Dane dotyczące światowego rybołówstwa zostały zgromadzone w badaniach z 2003 roku. Wynika z nich, że liczebność dużych ryb spadła dramatycznie w wyniku naszej działalności. Wywiad na temat tych badań pojawia się w filmie Ruperta Murraya *The End of the Line*. Więcej zob. Myers R., Worm B., *Rapid Worldwide Depletion of Predatory Fish Communities*, „Nature", 423, 2003, s. 280–3, https://www.nature.com/articles/nature01610.

[3] Aktualną ocenę wpływu dofinansowań na połowy można znaleźć w: Sumaila i in., *Updated estimates and analysis of global fisheries subsidies*, 2019, https://doi.org/10.1016/j.marpol.2019. 103695; WWF, *Five ways harmful fisheries subsidies impact coastal communities*, 2019, https://www.worldwildlife.org/stories/5-ways-harmful-fisheries-subsidies-impact-coastal-communities.

populacji rozmiar jest ważny. Większość ryb zamieszkujących otwarte wody rośnie przez całe życie. Potencjał rozrodczy samic zależy od ich rozmiarów. Większe matki składają o wiele więcej jaj. Wyławiając więc największe ryby, usuwamy te, które odnoszą największy sukces rozrodczy. Po jakimś czasie cała populacja zaczyna zanikać. Duże ryby zniknęły już całkiem z obszarów, na których prowadzone są intensywne połowy.

To polowanie na ryby jest jak zabawa w kotka i myszkę, udoskonalana przez pokolenia rybaków żyjących wzdłuż wybrzeży. Jak zwykle, dzięki naszej niezrównanej zdolności do rozwiązywania problemów, udało nam się wynaleźć mnóstwo sposobów łowienia ryb. Dostosowano je do konkretnego morza i pogody, wynaleziono urządzenia nawigacyjne, od prostych map zaczynając, a na chronometrach, które są niezawodne nawet na huśtanym falami statku, kończąc. Prognozy dotyczące miejsc pojawiania się dużych ławic tworzy się zarówno w oparciu o wspomnienia starych rybaków, jak i z wykorzystaniem nowoczesnych echosond. Skonstruowaliśmy sieci, które popycha się przez fale, takie, które przemieszczają się wraz z prądami morskimi, sieci otaczające ławicę, a następnie zaciskane, sieci zrzucane z góry oraz sieci, które opadają na dno. Zmierzyliśmy głębokość wszystkich oceanów, nanosząc na mapy podwodne góry i płyty kontynentalne, dzięki czemu wiemy, gdzie czekać. Przemieszczamy się w pontonach, kajakach i statkach, które mogą pozostawać na otwartym morzu całymi miesiącami, budując wielokilometrowe zapory z sieci i wyciągając za jednym zamachem całe tony ryb.

Udoskonaliliśmy nasze umiejętności rybackie ponad miarę. Co gorsza, nie był to stopniowy proces — tak jak w przypadku wielorybnictwa i wycinania lasów deszczowych błyskawicznie poczyniliśmy postępy. Szybko rosnące korzyści są cechą charakterystyczną ewolucji kulturowej. Jedne wynalazki wspierają wykorzystanie innych. Możliwości, które zyskamy, łącząc to, co nam daje silnik diesla, nawigacja satelitarna i echosonda, są dużo szersze niż suma możliwości wynikających z użycia każdego z tych urządzeń z osobna. Możliwości reprodukcyjne ryb są za to ograniczone. W rezultacie doprowadziliśmy do wymarcia ryb w wielu wodach przybrzeżnych.

Pozbawianie oceanów całych populacji ryb jest lekkomyślne. Łańcuch pokarmowy oceanu funkcjonuje inaczej niż te na lądzie. Te ostatnie czasem składają się z zaledwie trzech ogniw — trawa, antylopy, lwy. W oceanach są zwykle cztery ogniwa, czasem pięć i więcej. Mikroskopijnych rozmiarów fitoplankton jest pokarmem dla ledwie widocznego zooplanktonu, który jest zjadany przez narybek, padający ofiarą większych ryb. Polowanie tuńczyków i delfinów na ławice ryb stanowi doskonały przykład takiego rozbudowanego łańcucha pokarmowego, który w dodatku jest samowystarczalny i sam się reguluje. Jeśli jeden gatunek ryb o średnich rozmiarach zniknie, bo lubimy się nim raczyć, gatunki stanowiące niższe ogniwa łańcucha nadmiernie się rozmnożą, natomiast wyższe ogniwa zaczną głodować, bo nie potrafią jeść planktonu. Krótkotrwałe i zachowujące doskonałą równowagę przejawy życia w oceanicznych „biegunach", chmurach planktonu, staną się coraz rzadsze. Składniki odżywcze będą opadały na dno oceanu i tam pozostaną, a populacje zwierząt żyjących blisko powierzchni będą na tym cierpiały przez tysiąclecia. Kiedy liczba „biegunów" się zmniejszy, życie na otwartych wodach zacznie zamierać.

Prawdę mówiąc, do poprawienia efektywności połowów zmusiła nas rosnąca liczba ludzi na planecie. Mamy coraz więcej gąb do wykarmienia, a coraz mniej ryb. Obraz oceanu, pojawiający się we wspomnieniach osób, które żyły całkiem niedawno, w dziewiętnastym i na początku dwudziestego wieku, diametralnie różni się od tego, co znamy. Na starych zdjęciach ludzie stoją po uda wśród łososi. W dokumentach z Nowej Anglii można znaleźć zapiski o ławicach tak wielkich i pływających tak blisko brzegu, że miejscowi brodzili w wodzie i nabijali ryby na widelce. Szkoccy rybacy zarzucali linę z czterystoma haczykami, a kiedy ją wyciągali, na prawie każdym wisiała flądra[4]. Nasi wcale

---

[4] Więcej podobnych relacji historycznych, a także szczegółowe opisy tego, w jaki sposób syndrom przesuwającego się punktu odniesienia zmienił nasze oczekiwania względem oceanów, można znaleźć w: Callum Roberts, *Ocean of Life*, Penguin Books 2013.

nie tak odlegli przodkowie łowili za pomocą prostych haków i bawełnianych sieci. My dysponujemy technologią, która zaparłaby im dech, ale z trudem udaje nam się złapać coś jadalnego.

W morzach jest już coraz mniej ryb. Nie zauważamy tego z powodu zjawiska znanego jako syndrom przesuwającego się punktu odniesienia. Każde pokolenie uważa swoje doświadczenia za normalne. Szacujemy zasoby morskie na podstawie stanu populacji ryb na dziś. Nie zdajemy sobie sprawy z tego, ile ich było dawniej. Obniżamy swoje oczekiwania względem oceanów, bo nie przekonaliśmy się na własnej skórze, ile się w nich kryło bogactw i co mogłyby nam jeszcze kiedyś dać.

W tym samym czasie zanikało także życie na płytszych wodach. Ekipa *Błękitnej planety* zauważyła w 1998 roku coś, o czym się wtedy prawie nie mówiło — że rafy koralowe blakną i robią się białe. Początkowo ten widok może wprawić w zachwyt — idealnie białe gałązki, pióra i liście przypominają misterne rzeźby z marmuru — ale po chwili do obserwatora dociera tragizm sytuacji. Patrzy na szkielety — na martwe organizmy.

Budowniczymi raf koralowych są polipy — malutkie zwierzęta spokrewnione z meduzami. Mają prostą budowę, składają się w głównej części z czegoś w rodzaju tuby zawierającej jamę chłonąco-trawiącą oraz ze zwróconego do góry otworu gębowego otoczonego wieńcem czułków. Czułki, wyposażone w komórki parzydełkowe, służące do oszałamiania zdobyczy, przenoszą ją do jamy gębowej, która zamyka się, kiedy polip trawi, i otwiera dopiero przed kolejnym posiłkiem. Polipy koralowe wytwarzają zewnętrzny szkielet z węglanu wapnia, który chroni ich delikatne ciała przed drapieżnikami. Po jakimś czasie zmieniają się w ogromne, twarde struktury, a każdy gatunek ma własną architekturę. Rosną wspólnie, budując rafy. Największą jest Wielka Rafa Koralowa, położona na północny wschód od Australii i widoczna z kosmosu.

Odwiedziny na rafie koralowej to spotkanie z dziką przyrodą, które różni się od wszystkiego, czego doświadczyłem na lądzie. Gdy tylko się zanurzasz, grawitacja przestaje cię ograniczać. Możesz poruszać się w dowolnym kierunku, po prostu machając płetwami. Pod tobą rozciągają się wielobarwne koralowce, tak potężne i zróżnicowane jak miasto widziane z powietrza, znikające po chwili w błękicie. Gdy przyjrzysz się bliżej, zauważysz, że zamieszkuje je plejada niezwykłych istot. Są tam mieniące się wszystkimi kolorami tęczy ryby, malutkie ośmiornice, ukwiały, homary, kraby, przezroczyste krewetki i mnóstwo stworzeń, których istnienia nawet nie podejrzewałeś. Są porażająco piękne i z wyjątkiem tych, które są najbliżej, w ogóle nie zwracają na ciebie uwagi. Unosisz się nad nimi jak zaczarowany. Jeśli zastygniesz w bezruchu, kiedy cię zauważą, niewykluczone, że podpłyną i skubną twoją rękawicę.

Pod względem bioróżnorodności rafy koralowe dorównują lasom deszczowym. Tak samo jak dżungla, istnieją w trzech wymiarach, dzięki czemu obfitują w podobne możliwości rozwoju życia. Ich mieszkańcy są jednak o wiele bardziej kolorowi i lepiej widoczni. Po kilku tygodniach spędzonych w lesie tropikalnym człowiek zaczyna wypatrywać papug i kwiatów tylko po to, żeby spojrzeć na coś, co nie jest zielone. Mieszkańcy rafy koralowej — małe rybki, krewetki, jeżowce, gąbki i pozbawione muszli, a za to wyposażone w czułki mięczaki, oszczerczo zwane ślimakami morskimi — mienią się wszystkimi odcieniami różu, pomarańczu, czerwieni i żółci, całkiem jakby pokolorowały je dzieci o bogatej wyobraźni.

Barwy koralowców nie zależą od polipów. Ich źródłem są glony zwane zooksantellami, żyjące wewnątrz tkanek polipów. Tak jak inne rośliny, potrafią przeprowadzać fotosyntezę. Dzięki symbiozie zarówno glony, jak i polipy czerpią korzyści z cech charakterystycznych dla roślin i zwierząt. W ciągu dnia wspólnie kąpią się w słońcu, a glony wykorzystują światło do wytwarzania cukrów, które dostarczają polipom dziewięćdziesiąt procent potrzebnej im energii. Nocą polipy chwytają zdobycz, a glony czerpią z ich posiłków składniki odżywcze. Polipy wznoszą swoje szkielety w górę i wszerz, dzięki czemu cała kolonia ma stały dostęp do światła słonecznego. Ta korzystna dla obu stron relacja zmieniła ciepłe, płytkie morza, niezbyt zasobne w składniki odżywcze, w tętniące życiem oazy. Jednak równowaga tego układu jest bardzo krucha.

Blaknięcie koralowców, które zaobserwowali filmowcy, następuje, kiedy polipy są w stresie i odrzucają swoje glony, odsłaniając białe jak kość szkielety. Pozbawione glonów koralowce zaczynają się kurczyć. Cały obszar kolonizują wodorosty, które przykrywają koralowce, a rafa niepokojąco szybko zmienia się z krainy cudów w ziemię jałową.

Początkowo nikt nie wiedział, dlaczego koralowce blakną. Minęło trochę czasu, nim naukowcy odkryli, że zmiana koloru ma związek z ociepleniem się oceanu. Klimatolodzy od dawna ostrzegali, że jeśli nie przestaniemy spalać paliw kopalnych, uwalniając do atmosfery dwutlenek węgla i inne gazy cieplarniane, na naszej planecie zrobi się cieplej. Gazy cieplarniane zatrzymują energię termiczną w pobliżu powierzchni Ziemi, podgrzewając ją. Ten proces nazywamy efektem cieplarnianym. Gwałtowna zmiana zawartości dwutlenku węgla w atmosferze to cecha łącząca pięć okresów w historii, w trakcie których nastąpiła masowa zagłada gatunków, i jeden z głównych czynników prowadzących do tak zwanego wymierania permskiego. Miało ono miejsce dwieście pięćdziesiąt dwa miliony lat temu i było najbardziej spektakularnym i kompleksowym zjawiskiem tego typu. Wciąż nie wiadomo, dlaczego doszło wówczas do podwyższenia poziomu dwutlenku węgla[5], ale pewne jest, że przez ponad milion lat wulkany na naszej planecie przejawiały wyjątkową aktywność. Dwa miliony kilometrów kwadratowych lawy pokryły obszar dzisiejszej Syberii. Niewykluczone, że lawa przesączyła się przez skały, dotarła do pokładów węgla i je podpaliła, dzięki czemu do atmosfery uwolnione zostało tyle dwutlenku węgla, że temperatura na Ziemi przekroczyła o sześć stopni Celsjusza dzisiejszą średnią. Wzrost koncentracji dwutlenku węgla w powietrzu, a następnie rozpuszczenie jego części w wodzie morskiej, podniosło poziom kwasowości wód oceanicznych. Morskie zwierzęta zostały więc wystawione na wyższą temperaturę, a kiedy wody się zakwasiły, gatunki posiadające pancerze z węglanu wapnia, takie jak koralowce i znaczna część fitoplanktonu, po prostu się rozpuściły. Zagłada całego ekosystemu stała się nieunikniona. Wyginęło wówczas dziewięćdziesiąt sześć procent wszystkich gatunków morskich.

Podobny proces już trwał, kiedy kręciliśmy *Błękitną planetę*. Obserwowanie naszej zdolności do

---

[5] Wyczerpujący przegląd hipotez na ten temat można znaleźć w: R.V. White, *Earth's biggest "whodunit": unravelling the clues in the case of the end-Permian mass extinction*, „Philosophical Transactions of the Royal Society of London" 2002, t. 360 (1801), s. 2963–2985. Dostęp: https://www.le.ac.uk/gl/ads/SiberianTraps/Documents/White2002-P-Tr-whodunit.pdf.

eksterminacji żywych istot na szeroką skalę było wstrząsającym przeżyciem. Nie musieliśmy nawet wchodzić do wody. Aby zniszczyć las deszczowy, trzeba się napracować przy wycince drzew. Z ekosystemami morskimi było inaczej. Uszkadzaliśmy je z daleka, wpływając na temperaturę wody i jej skład chemiczny.

Zatrucie oceanów, do którego doszło w permie, wynikało z bezprecedensowej, trwającej milion lat aktywności wulkanicznej. Nam wystarczyło niecałe dwieście lat, by zapoczątkować ten sam proces. Spalając paliwa kopalne, w ciągu kilku dekad uwolniliśmy dwutlenek węgla, który prehistoryczne rośliny wiązały przez dziesiątki milionów lat. Przyroda nigdy nie radziła sobie ze znacznym wzrostem stężenia tego związku w atmosferze. Nasze uzależnienie od węgla, ropy i gazu zachwiało środowiskiem i mogło zapoczątkować coś podobnego do masowego wymierania.

Mimo to aż do lat dziewięćdziesiątych dwudziestego wieku nie zebraliśmy zbyt wielu dowodów na to, że zbliża się katastrofa, w każdym razie nie na lądzie*. Ocean się ocieplał, ale temperatura powietrza trzymała

---

* Wiedza o możliwej katastrofie środowiskowej i klimatycznej nie była powszechna. Jednak naukowcy donosili o zagrożeniu i sposobach przeciwdziałania już w raporcie dla prezydenta Stanów Zjednoczonych Lyndona B. Johnsona w 1965 roku (Restoring the Quality of Our Environment: Report President's Science Advisory Committee. Environmental Pollution Panel White House, 1965, https://books.google.pl/books/about/Restoring_the_Quality_of_Our_Environment.html) (przyp. konsultanta wyd. polskiego).

się na stabilnym poziomie. Prowadziło to jednak do szokującego wniosku — temperatura powietrza się nie zmieniała, bo ocean pochłaniał nadmiar ciepła, maskując tym samym nasz wpływ na klimat*. Wkrótce nie będzie to już możliwe. Tracące barwy koralowce były niczym kanarki w kopalni węgla — ostrzegały, że wkrótce nastąpi eksplozja. Zacząłem wtedy podejrzewać, że równowaga w przyrodzie niedługo zacznie się chwiać.

* Bezwładność termiczna oceanu opóźnia wzrost temperatury, ale jedną z przyczyn „efektu maskujacego" był równoległy do wzrostu emisji CO_2 wzrost emisji aerozoli pochodzenia przemysłowego do atmosfery. Aerozol ten odbijał część promieniowania słonecznego, co częściowo „maskowało" wzrost efektu cieplarnianego. Gdy zaczęliśmy masowo oczyszczać spaliny z pyłów i siarki (która powodowała powstanie aerozolu siarkowego i kwaśnych deszczy), ten efekt „globalnego zaciemnienia" gwałtownie osłabł, co przyspieszyło wzrost temperatur. Zob. M. Wild i in., *From Dimming to Brightening: Decadal Changes in Solar Radiation at Earth's Surface*, „Science" 2005, t. 308, nr 5723, s. 847–850, DOI: 10.1126/science.1103215 (przyp. konsultanta wyd. polskiego).

2011

LUDNOŚĆ ŚWIATA: 7 miliardów

STĘŻENIE DWUTLENKU WĘGLA W ATMOSFERZE: 391 ppm

DZIKIE OBSZARY: 39 procent

Następnym dużym serialem, przy którym pracowałem, była *Lodowa planeta*. Tym razem tematem były rozległe pustkowia rozpościerające się wokół obu biegunów Ziemi. W 2011 średnia temperatura globalna była już o osiem dziesiątych stopnia Celsjusza wyższa niż w momencie mojego przyjścia na świat. Zmiany następowały szybciej niż kiedykolwiek na przestrzeni ostatnich dziesięciu tysięcy lat.

Wiele razy odwiedzałem regiony polarne. Krajobrazu nie da się z niczym porównać, a żyjące tam gatunki doskonale się przystosowały do życia w ekstremalnych warunkach. Świat się jednak zmieniał. Zauważyliśmy, że w Arktyce wydłuża się lato. Lód coraz wcześniej topnieje i coraz później tworzy się ponownie. Wybierając sobie lokalizacje do zdjęć, filmowcy spodziewali się rozległych połaci lodu, na miejscu zastawali jednak tylko otwarte wody. Do wysp, które jeszcze kilka lat temu były przez cały rok otoczone lodem, dało się dopłynąć łodzią. Ze zdjęć satelitarnych wynikało, że letnia pokrywa lodowa skurczyła się w Arktyce o trzydzieści procent w ciągu ostatnich trzydziestu lat. Na całym świecie lodowce topniały w rekordowym tempie[1].

Letnie roztopy również przyspieszały. Lód topi się szybciej, kiedy rośnie temperatura powietrza i wody otaczającej krę. W okolicy obu biegunów kurczą się obszary o białym kolorze. Ciemna woda pochłania więcej ciepła słonecznego, przez co kra topi się jeszcze szybciej. Wiemy, że w przeszłości, kiedy temperatura Ziemi była równie wysoka jak teraz, istniało o wiele mniej lodowców. Można więc uznać, że obecne roztopy ruszają z lekkim opóźnieniem, ale kiedy nabiorą rozpędu, całego procesu nie da się zatrzymać.

Nasza planeta potrzebuje lodu. Pod zamarzniętą powierzchnią morza, przez którą przesącza się światło słoneczne, rosną glony. Żywią się nimi bezkręgowce i małe ryby, które stanowią podstawę łańcucha pokarmowego zarówno w Arktyce, jak i w Antarktyce. Tamtejsze ekosystemy morskie należą do najbardziej produktywnych na świecie. Żyją tam wieloryby, foki, niedźwiedzie, pingwiny i wiele innych ptaków. My też czerpiemy korzyści z tych chłodnych wód. Każdego roku na dalekiej północy i na dalekim południu łowi

[1] Sytuacja w Arktyce i Antarktyce jest bardzo dynamiczna. Najlepszym źródłem aktualnych informacji są dwie interesujące i wiarygodne strony: National Snow and Ice Data Center, https://nsidc.org/data/seaice_index, i National Oceanic and Atmospheric Administration, https://www.arctic.noaa.gov/Report-Card. Poza tym World Glacier Monitoring Service (WGMS) zbiera co roku dane dotyczące wszystkich monitorowanych lodowców świata: https://wgms.ch.

się miliony ton ryb, które następnie trafiają na światowe rynki.

Cieplejsze lata w obszarach polarnych oznaczają, że morze dłużej nie jest skute lodem. Ma to katastrofalne skutki dla niedźwiedzi polarnych, które polują na foki z kry. W lecie snują się po arktycznych plażach, zużywając zapasy tłuszczu i czekając, aż woda pokryje się lodem. Dzieje się to coraz później, a naukowcy odkryli niepokojący trend. Ciężarne samice, zużywające najgłębsze zapasy energii, rodzą mniejsze potomstwo. Kto wie, czy któreś lato nie będzie trwało tak długo, że młode urodzą się za małe, by przetrwać zimę. Cała populacja niedźwiedzi polarnych może się wtedy załamać.

W skomplikowanym świecie przyrody często dochodzi do takich punktów krytycznych. Czasem trudno zauważyć, że przekroczona została jakaś granica, w wyniku czego zmiany zaczną występować lawinowo, dopóki ekosystem nie ustabilizuje się w całkiem nowej formie. Odwrócenie tego procesu bywa niemożliwe — za dużo elementów przepada, zbyt wiele czynników zostaje zachwianych. By uniknąć katastrofy, należy wypatrywać znaków ostrzegawczych, takich jak mniejsze potomstwo niedźwiedzi polarnych, rozpoznawać je i natychmiast ruszać do działania.

Podobne znaki można zauważyć w rosyjskiej części Arktyki. Żyją tam morsy, żywiące się małżami, które można znaleźć tylko w kilku miejscach na dnie morza. Po posiłku morsy wychodzą na lód, żeby odpocząć.

Kiedy pokrywa lodowa topnieje, muszą płynąć aż na odległe plaże. Niełatwo o odpowiednie miejsce, więc dwie trzecie całej populacji morsów pacyficznych — dziesiątki tysięcy osobników — gromadzi się na jednej plaży. Panuje tam taki tłok, że zwierzęta przygniatają się nawzajem. Niektóre wspinają się na wysokie, skaliste brzegi. Nie widzą zbyt dobrze na lądzie, ale czują zapach wody u stóp klifu, próbują się więc do niej dostać najkrótszą drogą. Niełatwo wymazać z pamięci obraz trzytonowego morsa, który ginie, spadając z klifu. Nie trzeba być naukowcem, żeby zorientować się, że coś jest potwornie nie w porządku.

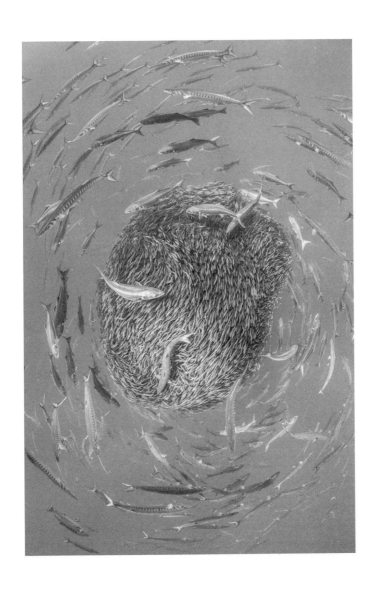

2020

LUDNOŚĆ ŚWIATA: 7,8 miliarda

STĘŻENIE DWUTLENKU WĘGLA W ATMOSFERZE: 415 ppm

DZIKIE OBSZARY: 35 procent

Nasz wpływ jest widoczny teraz na całej planecie. Niszczycielska działalność ludzkości zachwiała podstawami świata przyrody. Oto jak wygląda Ziemia w roku 2020[1].

Wyławiamy z oceanów osiemdziesiąt milionów ton owoców morza rocznie. Trzydzieści procent zasobów ryb osiągnęło poziom krytyczny[2]. Zniknęły prawie wszystkie duże ryby.

Utraciliśmy już mniej więcej połowę wszystkich koralowców. Każdego roku kolor tracą kolejne partie rafy.

---

[1] Najbardziej wyczerpujące informacje o stanie bioróżnorodności na świecie są zawarte w raporcie IPBES (Międzyrządowej Platformy ds. Różnorodności Biologicznej i Funkcji Ekosystemu) z 2019 roku. Skrócona wersja: https://ipbes.net/sites/default/files/2020-02/ipbes_global_assessment_report_summary_for_policymakers_en.pdf. Również przygotowywany co dwa lata raport WWF *Living Planet Report* zawiera wiarygodny i bardzo przystępnie zaprezentowany spis. Najnowszą wersję można znaleźć na: www.panda.org.

[2] Organizacja Narodów Zjednoczonych do spraw Wyżywienia i Rolnictwa (FAO) co dwa lata publikuje najbardziej wyczerpujący przegląd sektora rybnego, *The State of World Fisheries and Aquaculture*. Raport z 2020 roku: http://www.fao.org/state-of-fisheries-aquaculture.

W wyniku zabudowy nadbrzeży i przemysłowej hodowli owoców morza zmniejszyliśmy obszary porośnięte lasami namorzynowymi i połacie traw morskich o ponad trzydzieści procent.

W oceanach jest pełno naszych śmieci, zarówno w wodach powierzchniowych, jak i w najgłębszych rowach. Na północnym Pacyfiku unosi się gigantyczna plama śmieci, zatrzymywana przez prądy morskie. Składa się na nią bilion osiemset miliardów kawałków plastiku. Cztery podobne plamy tworzą się już w innych miejscach.

Plastik trafia do łańcucha pokarmowego. W żołądkach ponad dziewięćdziesięciu procent ptaków morskich znajduje się jego cząstki. Aldabra to rezerwat, do którego wstęp jest bardzo ograniczony. Kiedy trafiłem tam w 1983 roku, podczas kręcenia *Żyjącej planety*, jedynymi rzeczami wyrzucanymi na brzeg były ogromne owoce kokosa morskiego. Niedawno wyspę tę odwiedziła inna ekipa filmowców. Plaże były zasypane śmieciami. Żyjące tam żółwie, niektóre ponadstuletnie, muszą się wspinać na plastikowe butelki, wiadra i puszki po oleju, przedzierać przez plastikowe sieci i kawałki opon.

Zasypaliśmy wszystkie plaże planety śmieciami.

Ekosystemy słodkowodne są tak samo zagrożone. Zbudowaliśmy ponad pięćdziesiąt tysięcy wielkich tam, zakłócając bieg prawie wszystkich pokaźnych rzek. Tamy wpływają na temperaturę wody, drastycznie zmieniając pory tarła i migracji ryb.

Wrzucamy do rzek śmieci, zatruwamy je nawozami, pestycydami i innymi środkami chemicznymi, którymi nasączamy otaczające je tereny. Niektóre stanowią najbardziej zanieczyszczone elementy środowiska w skali planety. Nawadniamy uprawy, obniżając przy tym tak drastycznie poziom wielu z nich, że przez część roku w ogóle nie docierają do morza.

Zabudowujemy tereny zalewowe i delty rzek oraz osuszamy bagna. Za mojego życia zniknęła już połowa terenów podmokłych.

Wskutek takiego traktowania wód śródlądowych liczba związanych z nimi gatunków roślin i zwierząt spadła o wiele bardziej niż w jakimkolwiek innym środowisku. W skali globu zmniejszyliśmy populację zwierząt słodkowodnych o osiemdziesiąt procent. Płynący przez Azję Południowo-Wschodnią Mekong dostarcza jednej czwartej wszystkich ryb słodkowodnych łowionych na świecie. Sześćdziesiąt milionów ludzi korzysta z pochodzących z tego źródła zasobów białka. Mimo to w wyniku regulacji biegu rzeki, nadmiernego poboru wody, przełowienia i zanieczyszczeń co roku spada nie tylko liczba łowionych ryb, ale także ich rozmiar. W ostatnich latach niektórzy rybacy zaczęli używać moskitier, żeby w ogóle złowić coś jadalnego.

Wycinamy ponad piętnaście miliardów drzew rocznie. Zredukowaliśmy powierzchnię lasów deszczowych o połowę. Głównym czynnikiem napędzającym wylesianie, którego negatywny wpływ dwukrotnie przewyższa łączne oddziaływanie trzech kolejnych przyczyn, jest produkcja wołowiny. Tylko w Brazylii na wypas bydła przeznaczono sto siedemdziesiąt milionów hektarów — to obszar równy siedmiokrotnej powierzchni Wielkiej Brytanii. Znaczna część tego terenu była dawniej porośnięta lasem deszczowym. Drugim powodem jest uprawa soi. Przeznaczono na nią sto trzydzieści jeden milionów hektarów, głównie w Ameryce Południowej. Ponad siedemdziesiąt procent plonów przeznacza się na karmę dla zwierząt hodowlanych. Trzeci to dwadzieścia jeden milionów hektarów porośniętych palmami olejowymi, przede wszystkim w Azji Południowo-Wschodniej[3].

Lasy, których jeszcze nie wycięliśmy, są poprzecinane drogami, farmami i plantacjami. Siedemdziesiąt procent z nich jest tak mała, że najwyżej kilometr dzieli dowolne miejsce wewnątrz lasu od jego skraju.

Liczebność owadów spadła w ciągu ostatnich trzydziestu lat o jedną czwartą. Tam, gdzie intensywnie używa się pestycydów, jest ich nawet mniej. Według najnowszych badań Niemcy straciły siedemdziesiąt pięć procent masy wszystkich owadów latających, Portoryko zaś prawie dziewięćdziesiąt procent masy owadów

---

[3] Riskier Business (2020) zawiera szczegółowe informacje na temat tego, ile ziemi poza Wielką Brytanią potrzeba, żeby zaspokoić potrzeby mieszkańców Wielkiej Brytanii na siedem produktów (w tym soję i wołowinę). Skrócona i pełna wersja raportu: https://www.wwf.org.uk/riskybusiness.

i pajęczaków żyjących w koronach drzew. Owady są najbardziej zróżnicowaną grupą gatunków. Wiele z nich to zapylacze, które odgrywają kluczową rolę w wielu łańcuchach pokarmowych. Inne są drapieżnikami ograniczającymi populacje owadów roślinożernych, które potrafią spowodować znaczne szkody[4].

Uprawiamy już połowę żyznych terenów. Przeważnie jest to uprawa agresywna. Nasączamy glebę azotanami i fosforanami, nadmiernym wypasem doprowadzamy do erozji. Siejemy nieodpowiednie dla danego obszaru gatunki i spryskujemy je pestycydami, zabijając bezkręgowce, dzięki którym gleba nadaje się do uprawy. Wyjaławiamy glebę, przekształcając bogate, zasobne w grzyby, dżdżownice, wyspecjalizowane bakterie i całą masę innych, mikroskopijnych organizmów ekosystemy w miejsca pozbawione życia, sterylne i suche. Deszczówka spływa z nich niczym z chodnika, wskutek czego dochodzi do lokalnych podtopień, coraz częstszych w krajach, w których rolnictwo stało się przemysłem.

Siedemdziesiąt procent masy ptaków to zwierzęta hodowlane, przede wszystkim kurczaki. Rocznie

[4] Przystępny przegląd informacji na temat zmniejszania się populacji owadów: D. Goulson, *Insect declines and why they matter*, 2019, dostęp: https://www.somersetwildlife.org/sites/default/files/2019-11/ FULL%20AFI%20REPORT%20WEB1_1.pdf. Osoby, które chcą dowiedzieć się więcej o przywracaniu populacji owadów, znajdą przykłady w: Wildlife Trusts, *Reversing the decline of insects*, 2020, https:// www. wildlifetrusts.org/sites/default/files/2020-07/Reversing%20the%20 Decline%20of%20Insects%20FINAL%2029.06.20.pdf.

zjadamy ich pięćdziesiąt miliardów. W każdej chwili żyją dwadzieścia trzy miliardy kurczaków. Wielu podajemy karmę z soi uprawianej na wylesionych terenach.

Jeszcze bardziej szokuje informacja, że dziewięćdziesiąt sześć procent masy wszystkich ssaków na Ziemi tworzą ciała ludzi i zwierząt hodowlanych. Nasza masa stanowi jedną trzecią całości, zwierzęta zaś — przede wszystkim krowy, świnie i owce to ponad sześćdziesiąt procent. Wszystkie dzikie ssaki, od myszy zaczynając, a na słoniach i wielorybach kończąc, stanowią zaledwie cztery procent masy[5].

Szacuje się, że populacja dzikich zwierząt spadła mniej więcej o połowę od lat pięćdziesiątych. Kiedy oglądam swoje stare filmy, dociera do mnie, że chociaż miałem wrażenie, iż przebywam w dziczy, wśród pierwotnej przyrody, było to tylko złudzenie. Lasy, równiny i morza, które odwiedzałem, już wtedy pustoszały. Już wtedy z trudem znajdowaliśmy część dużych ssaków. Przesuwający się punkt odniesienia zakłóca to, jak postrzegamy przyrodę. Zapomnieliśmy, że dawniej

---

[5] Te dane pochodzą z przełomowych badań dotyczących życia na Ziemi: Y.M. Bar-On, R. Phillips, R. Milo, *The biomass distribution on Earth*, „Proceedings of the National Academy of Sciences" 2018, t. 115 (25), s. 6506–6511, https://www.pnas.org/content/pnas/early/2018/05/15/1711842115.full.pdf.

w strefie umiarkowanej istniały lasy, przez które można było wędrować całymi dniami. Bizonów było tak wiele, że mijały cztery godziny, nim przebiegło jedno stado, a niebo ciemniało podczas przelotu ptaków. Jeszcze kilka pokoleń temu było to normalne. Teraz jest inaczej. Przywykliśmy do zubożałej planety.

Zastąpiliśmy dzikie zwierzęta hodowlanymi. Traktujemy Ziemię jak naszą własność, wykorzystywaną przez ludzi i dla ludzi. Nie zostawiamy wiele przestrzeni dla pozostałych gatunków. Dzika przyroda — przyroda pozbawiona ludzi — zniknęła. Zadeptaliśmy planetę.

Przez ostatnie kilka lat mówię o tym wszędzie, gdzie tylko się da — na szczycie ONZ, na spotkaniach Międzynarodowego Funduszu Walutowego, na konferencji Światowego Forum Ekonomicznego. Przemawiam do londyńskiej finansjery i publiczności festiwalu w Glastonbury. Wolałbym nie musieć tego robić, bo wolałbym, żeby ta walka nie była konieczna. Miałem jednak w życiu niewiarygodne, wyjątkowe szczęście. Czułbym się winny, gdybym, zdając sobie sprawę z zagrożeń, świadomie je zignorował.

Muszę ciągle przypominać sobie o wszystkich okropieństwach, które za mojego życia ludzkość wyrządziła planecie. Jakby nie było, słońce wschodzi co rano, a w skrzynce znajduję gazetę. Codziennie jednak o tym myślę. Czy jesteśmy jak ludzie w Prypeci? Czy ślepo zmierzamy ku katastrofie?

Co nas czeka

Boję się o ludzi, którzy doświadczą tego, co będzie się działo przez kolejne dziewięćdziesiąt lat, jeśli nie zmienimy swojego postępowania. Z najnowszych badań[1] wynika, że przyroda jest na skraju zagłady. Proces już trwa i będzie przyspieszał, a skutki będą coraz poważniejsze, prowadząc do kolejnych zmian. Wszystko, co nauczyliśmy się brać za pewnik — usługi, które Ziemia świadczyła nam za darmo — wkrótce stanie się czymś nieoczywistym lub całkiem zniknie. Nadchodząca katastrofa może okazać się o wiele bardziej brzemienna w skutki niż wybuch w Czarnobylu i wszystko, co nas do tej pory spotkało. Doświadczymy

---

[1] Raporty o stanie planety są przygotowywane przez dwie organizacje. Najlepszym źródłem informacji o obecnych i prognozowanych zmianach klimatycznych jest Międzyrządowy Zespół ds. Zmian Klimatu (IPCC): www.ipcc.ch. Międzyrządowa Platforma ds. Różnorodności Biologicznej i Funkcji Ekosystemu (IPBES) dostarcza wiarygodnych informacji na temat stanu bioróżnorodności: www.ipbes.net. Więcej o koncepcji punktów krytycznych: R. McSweeney, *Explainer: Nine "tipping points" that could be triggered by climate change*, 2010, https://www.carbonbrief.org/explainer-nine-tipping-points-that-could-be--triggered-by-climate-change.

zdarzeń poważniejszych niż zalane domy, potężne huragany i letnie pożary. Jakość życia kolejnych pokoleń ulegnie całkowitej zmianie. Kiedy dojdzie wreszcie do globalnej katastrofy ekologicznej i osiągniemy stan nowej równowagi, ludzkość będzie miała do dyspozycji o wiele uboższą planetę. Stan ten już się nie zmieni.

Przytłaczająca skala tej katastrofy, przepowiadanej przez wszystkich czołowych naukowców zajmujących się środowiskiem, będzie bezpośrednim skutkiem naszego podejścia. W latach pięćdziesiątych ubiegłego wieku wkroczyliśmy w okres, który nazywamy Wielkim Przyspieszeniem. Uderza tempo i podobieństwo zmian obserwowanych w wielu różnych dziedzinach, zmierzone i przedstawione w formie graficznej na osi czasu.

Analizie poddawany jest wzrost PKB, zużycie energii i wody, budowa tam, rozwój sieci telekomunikacyjnych, turystyki i rolnictwa. Zmiany zachodzące w środowisku można opisywać za pomocą wielu czynników — mierząc wzrost zawartości dwutlenku węgla, metanu i podtlenku azotu w atmosferze, temperaturę powierzchni Ziemi, wzrost kwasowości oceanów, spadek populacji ryb i utratę lasów tropikalnych. Wszystkie te pomiary prezentują się mniej więcej tak samo na wykresach. Od połowy dwudziestego wieku gwałtownie rosną, krzywa przypomina więc stromą górę lub kij hokejowy. Można przeglądać jeden wykres za drugim, wszystkie wyglądają tak samo. Ten niekontrolowany wzrost stanowi cechę charakterystyczną naszej egzystencji. To uniwersalny model okresu, którego byłem świadkiem, a zarazem wyjaśnienie zmian, o których piszę. Moja historia to relacja naocznego świadka Wielkiego Przyspieszenia.

Patrząc na te wykresy, na te wszystkie identycznie wyglądające krzywe, można zadać sobie pytanie — czy ta sytuacja może trwać dalej? Odpowiedź jest oczywista. Nie. Mikrobiolodzy opracowali wykres, który zaczyna się bardzo podobnie, wiedzą też, jak się kończy. Kiedy w sterylnej, szczelnie zamkniętej szalce umieści się pożywkę, a na niej zaszczepi kilka bakterii — w idealnym środowisku, bez żadnej konkurencji, za to z dostępnością do pokarmu — przez jakiś czas będą się przystosowywać do nowego środowiska. Okres ten nazywa się f a z ą z a s t o j u. Może trwać godzinę lub kilka dni, ale kończy się zawsze znienacka. Bakterie uczą się, jak wykorzystać panujące na płytce warunki i zaczynają się rozmnażać przez podział. Ich populacja podwaja się nawet co dwadzieścia minut. W ten sposób zaczyna się f a z a w z r o s t u w y k ł a d n i c z e g o. Bakterie dzielą się i zajmują kolejne przestrzenie na pożywce. Pojedyncze bakterie zaklepują sobie miejsca i biorą to, czego potrzebują. W ekologii nazywa się to konkurencją o zasoby — każda bakteria walczy o własne przetrwanie. W ograniczonym ekosystemie, takim jak zamknięta szalka, nie może się to dobrze

Model Ograniczeń Planety

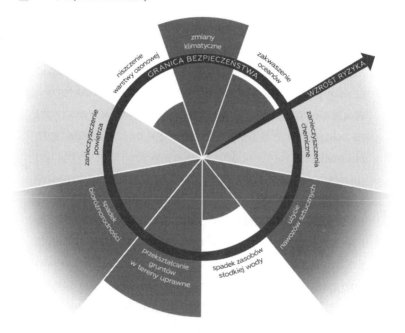

skończyć. Kiedy bakterie tak się rozmnożą, że dotrą do skraju, pojedyncze komórki zaczną sobie wzajemnie szkodzić. Skończą się zapasy pożywienia, za to wzrośnie temperatura, stężenie gazów i szkodliwych produktów przemiany materii. Komórki zaczną ginąć, ograniczając przy tym po raz pierwszy wzrost populacji. Stan środowiska ulegnie dalszemu pogorszeniu, więc komórki będą ginąć coraz szybciej. Liczba nowych komórek z podziału zrówna się z liczbą komórek ginących, populacja osiągnie szczyt, po czym na jakiś czas się ustabilizuje. Jednak jeśli ekosystem jest ograniczony, nie będzie trwać wiecznie, ponieważ nie jest z r ó w n o w a ż o n y. Wszędzie zacznie brakować pożywienia, produkty przemiany materii zaczną wypełniać szalkę, a kolonia zginie równie szybko, jak powstała. Świat w zamkniętym naczyniu zmieni się całkowicie — nie będzie w nim pożywienia, środowisko będzie zniszczone, toksyczne, przegrzane i zakwaszone.

Wielkie Przyspieszenie sprawia, że znajdujemy się w fazie wzrostu wykładniczego — my sami, nasze czynności i różne mierzalne czynniki. Faza zastoju trwała setki tysięcy lat, ale dopiero w połowie dwudziestego wieku udało nam się rozwiązać większość praktycznych problemów związanych z życiem na Ziemi. Po rewolucji przemysłowej było to nieuniknione — nowe źródła energii i rozwój maszyn zwielokrotniły wysiłki jednostek, jednak najważniejszy czynnik stanowiło prawdopodobnie zakończenie drugiej wojny światowej. Działania wojenne przyczyniły się do przełomów w zakresie medycyny, inżynierii, nauki i komunikacji. Po wojnie utworzono wiele międzynarodowych organizacji, takich jak ONZ, Bank Światowy i Unia Europejska. Ich celem było zjednoczenie ludzi na całym świecie i dbanie o globalną współpracę. Dzięki temu nastał najdłuższy chyba w historii okres względnego pokoju. W takich warunkach mogliśmy cieszyć się wolnością, wykorzystując każdą okazję do rozwoju.

Krzywa Wielkiego Przyspieszenia to wizualizacja postępu. W tym okresie wskaźniki rozwoju społeczeństw, takie jak długość życia, umiejętność czytania i pisania, dostęp do edukacji i opieki zdrowotnej, prawa człowieka, dochód na osobę i demokracja znacząco wzrosły dla większości ludzkości. Zrobiłem karierę dzięki postępom w zakresie transportu i komunikacji. W ciągu ostatnich siedemdziesięciu lat spełniło się wiele naszych marzeń dzięki wynalazkom dokonanym w każdej dziedzinie życia. Musimy jednak zdać sobie sprawę z kosztów. Tak samo jak bakterie, produkujemy różne gazy, kwasy i toksyny. One także przyrastają wykładniczo. Wzrost nie może trwać wiecznie. Zdjęcia planety zrobione przez załogę misji Apollo dowodzą, że Ziemia jest zamkniętym ekosystemem, tak samo jak szalka z bakteriami. Musimy jak najszybciej dowiedzieć się, ile jeszcze wytrzyma.

Niektóre z najważniejszych badań naukowych, prowadzonych w ostatnich latach, dotyczą przyrody w skali globalnej. Zespół specjalistów zajmujących się Ziemią jako systemem, kierowany przez Johana Rockströma i Willa Steffena, zbadał odporność ekosystemów całej planety[2]. Przeanalizowali czynniki, dzięki którym poszczególne ekosystemy zachowywały stabilność w trakcie całego holocenu, a także zaprojektowali modele pozwalające określić punkt, w którym dany ekosystem zacznie się załamywać. Udało im się przy tym odkryć różne zasady, dzięki którym istnieje życie, a także ich słabe strony. Ten nadzwyczaj ambitny projekt całkowicie odmienił nasze podejście do funkcjonowania planety.

Odkryli, że środowisko naszej planety zależy od dziewięciu punktów krytycznych, zwanych granicami planetarnymi. Zrównoważona, bezpieczna egzystencja możliwa jest tylko wtedy, kiedy nie przekraczamy tych granic. Jeśli będziemy zachłanni i wyjdziemy poza nie, możemy zaburzyć całą maszynerię, dzięki której istnieje życie, trwale niszcząc przyrodę i uniemożliwiając jej utrzymywanie środowiska w stabilnym, korzystnym dla nas stanie.

Można powiedzieć, że siedzimy w sterowni i bezmyślnie bawimy się pokrętłami, które regulują te dziewięć ograniczeń, dokładnie tak, jak nieszczęsna

---

[2] Szczegółowy opis tych badań i tego, co z nich wynika, można znaleźć w: M. Klum, *Big World, Small Planet*, Yale University Press 2015.

załoga pracująca na nocnej zmianie w Czarnobylu w 1986 roku. Reaktor też miał swoje słabe punkty i ograniczenia. Pracownicy elektrowni znali część z nich. Przekręcili pokrętła, żeby przetestować system, ale nie docenili związanego z tym ryzyka. Wystarczył jeden krok za daleko, żeby uruchomić łańcuch reakcji destabilizujący cały układ. Po przekroczeniu granicy nie mogli już w żaden sposób powstrzymać katastrofy. Skomplikowany i delikatny reaktor nie mógł już działać stabilnie.

Nasze obecne działania popychają Ziemię na skraj katastrofy. Przekroczyliśmy już cztery z dziewięciu ograniczeń. Zanieczyszczamy środowisko, używając zbyt wielu nawozów i zakłócając obieg azotu i fosforu. Przekształcamy za wiele dzikich terenów, takich jak lasy, łąki i bagna, w ziemie uprawne. O wiele za szybko podgrzewamy Ziemię, uwalniając do atmosfery dwutlenek węgla w bezprecedensowym tempie. Bioróżnorodność maleje sto razy szybciej niż przeciętnie, tak jak w okresach masowego wymierania gatunków[3].

Dużo się mówi o globalnym ociepleniu i jest to konieczne. Jest już jednak jasne, że zmiany klimatyczne spowodowane działalnością człowieka to tylko jeden

---

[3] Z najnowszych badań prowadzonych przez IPBES (2019) wynika, że obecne tempo wymierania gatunków przewyższa średnią z ostatnich 10 milionów lat dziesiątki, a nawet setki razy, tempo zaś wymierania gatunków kręgowców było w dwudziestym wieku 114 razy wyższe od tzw. wartości tła. Więcej zob. https://ipbes.net/global-assessment.

z czynników kryzysowych. Dzięki naukowcom wiemy, że na tablicy świecą się już cztery kontrolki. Wyszliśmy poza strefę bezpieczeństwa. Wielkie Przyspieszenie przypomina eksplozję, a jego skutkiem będzie upadek. W świecie przyrody rozpocznie się proces odwrotny — „Wielki Upadek".

Naukowcy szacują, że straty w środowisku, które stały się dominującą cechą okresu mojego życia, zostaną przyćmione przez straty, do których dojdzie w ciągu następnych stu lat. Jeśli nie zmienimy swojego postępowania, rodzące się dzisiaj dzieci mogą być świadkami wielu zmian.

LATA TRZYDZIESTE
DWUDZIESTEGO PIERWSZEGO WIEKU

Po dekadach agresywnej wycinki i nielegalnego wypalania lasów przez ludzi, którzy chcieli oczyścić grunt pod uprawy, dżungla amazońska do lat trzydziestych prawdopodobnie skurczy się o siedemdziesiąt procent. Wciąż będzie spora, ale niewykluczone, że tak duży ubytek wywoła nieodwracalną reakcję znaną jako z a mieranie drzewostanów. Wraz ze zmniejszaniem się powierzchni koron drzew las traci zdolność do produkcji wilgoci. Najbardziej wrażliwe obszary dżungli wysychają, zmieniając się najpierw w las kserofityczny, a następnie w sawannę. Proces ten sam się napędza — im więcej drzewostanów wymiera, tym szybciej proces ten obejmuje kolejne obszary lasu. Naukowcy uważają, że całe dorzecze Amazonki może wyschnąć szybko i gwałtownie[4]. Spadek bioróżnorodności przyniesie katastrofalne skutki. W dżungli amazońskiej żyje jedna dziesiąta wszystkich gatunków świata. Oznacza to, że niezliczone gatunki wymrą, wywołując przy tym efekt domina, który dotknie cały ekosystem. Ucierpią wszystkie populacje, a pojedynczym osobnikom dużo trudniej będzie zdobywać pożywienie i łączyć się w pary.

Gatunki, które mogłyby zostać wykorzystane w medycynie, przemyśle albo do konsumpcji, wyginą, zanim je w ogóle odkryjemy. Ludzkość będzie musiała jednak zapłacić dużo poważniejszą i bardziej konkretną cenę. Dżungla amazońska wyświadcza mnóstwo usług środowisku. Gdy jej zabraknie, powszechne staną się gwałtowne powodzie w jej dorzeczu, ponieważ korzenie drzew przestaną podtrzymywać glebę. Nawet trzydzieści milionów ludzi będzie się musiało

---

[4] Jednym z naukowców przewidujących rychły koniec Amazonii jest Brazylijczyk Carlos Nobre. Interesujący wywiad z nim: https://e360. yale.edu/features/will-deforestation-and-warming-push-the-amazon-to-a-tipping-point. Więcej zob. C.A. Nobre i in., *Land-use and climate change risks in the Amazon and the need of a novel sustainable development paradigm*, 2016, https://www.pnas.org/content/pnas/113/39/10759.full.pdf.

przeprowadzić, w tym trzy miliony rdzennych mieszkańców. W związku ze zmianą wilgotności powietrza zmniejszy się liczba opadów w większej części Ameryki Południowej, prowadząc do niedoborów wody pitnej, a także, o ironio, powodując susze na terenach uprawnych, stworzonych dzięki wycince. Radykalnie zaburzy to produkcję żywności w Brazylii, Peru, Boliwii i Paragwaju.

Największą zasługą Amazonii dla środowiska jest to, że porastające ją drzewa zatrzymały ponad sto miliardów ton węgla w trakcie holocenu. Pożary lasów, występujące na początku pory suchej, powodują stopniowe uwalnianie dwutlenku węgla do atmosfery. Co więcej, kurczący się las będzie przetwarzał go coraz mniej w procesie fotosyntezy. To, co pozostanie w atmosferze, jeszcze bardziej przyspieszy proces globalnego ocieplenia.

Na drugim końcu Ziemi również zajdą zmiany. Ocean Arktyczny po raz pierwszy całkowicie rozmarznie na lato, a otwarte wody pokryją biegun północny[5]. Niewykluczone, że stopią się nawet pokrywy lodowe, na-

---

[5] Aktualne dane na temat topnienia lodu w Arktyce można znaleźć w raporcie specjalnym Międzyrządowego Zespołu ds. Zmian Klimatu (IPCC): *Special Report on the Ocean and Cryosphere in a Changing* Climate, 2019, https://www.ipcc.ch/srocc/, oraz w: *Arctic Monitoring and Assessment Programme Climate Change Update 2019: An Update to Key Findings of Snow, Water, Ice and Permafrost in the Arctic (SWIPA) 2017*, https://www.amap.no/documents/doc/amap-climate-change-update-2019/1761.

rastające latami w osłoniętych fiordach. Glony rosnące od dołu na lodzie trafią do wody, zmieniając łańcuch pokarmowy całej Arktyki.

Ponieważ lodu będzie coraz mniej, planeta będzie też coraz mniej biała, a co za tym idzie, będzie odbijać mniej promieniowania słonecznego. Klimat zacznie się ocieplać jeszcze szybciej. Wkrótce Arktyka utraci zdolność do schładzania Ziemi.

LATA CZTERDZIESTE
DWUDZIESTEGO PIERWSZEGO WIEKU

Do kolejnego punktu zwrotnego dotrzemy zaledwie kilka lat po tym skoku globalnej temperatury. W północnej części globu już od kilku dekad będzie topniała wieczna zmarzlina — znajdująca się pod tundrą i lasami Alaski, północnej Kanady i Rosji część skorupy ziemskiej, która do tej pory nie rozmarzała[6]. Proces ten trudniej przewidzieć i wykryć niż topnienie lodu morskiego, ale jego skutki mogą być dużo groźniejsze. Przez cały holocen osiemdziesiąt procent gleb na tym obszarze było zamarznięte. To się zmieni, kiedy wzrośnie temperatura. Na powierzchni jedynym ob-

---

[6] Dodatkowe informacje na temat wiecznej zmarzliny: Global Terrestrial Network for Permafrost, https://gtnp.arcticportal.org.

jawem topnienia wiecznej zmarzliny jest pojawianie się nowych jezior i brzydkich kraterów, które powstają wskutek zapadania się ziemi, kiedy znika z niej woda. W latach czterdziestych w tundrze zajdą dużo bardziej drastyczne zmiany. W ciągu zaledwie kilku lat cała daleka północ, czyli obszar, na którym znajduje się jedna czwarta suchego lądu północnej półkuli, stanie się wielkim bagniskiem, ponieważ stopi się lód, który spajał glebę. Miliony metrów sześciennych półpłynnej gleby zaczną osiadać, powodując potężne osunięcia ziemi i powodzie. Setki rzek zmieni bieg, tysiące mniejszych jezior wyschnie. Przybrzeżne akweny połączą się z oceanem. Morza zmieszają się ze strugami mulistej, słodkiej wody. Trudno wręcz przewidzieć, jak wpłynie to na mieszkańców tych rejonów — zarówno zwierzęta, jak i ludzi. Lokalne społeczności, rybacy, pracownicy platform wiertniczych i firm transportowych, leśnicy — wszyscy oni będą musieli zostać przesiedleni. Najważniejszy skutek roztopów dotknie całą ludzkość. Od tysięcy lat w wiecznej zmarzlinie gromadziła się materia organiczna. Zawartość węgla w niej szacuje się nawet na tysiąc czterysta gigaton. W ciągu ostatnich dwustu lat ludzkość wyemitowała do atmosfery cztery razy mniej węgla w postaci dwutlenku węgla, a jego obecna zawartość w atmosferze jest o połowę niższa. Stopniowe topnienie wiecznej zmarzliny będzie jak odkręcenie kurka z gazami cieplarnianymi. Możliwe, że nie będziemy go już mogli zakręcić.

Część druga

LATA PIĘĆDZIESIĄTE
DWUDZIESTEGO PIERWSZEGO WIEKU

Pożary lasów i roztopy, które wystąpią w ciągu najbliższych trzydziestu lat, będą uwalniały do atmosfery coraz więcej dwutlenku węgla. Wody powierzchniowe oceanów jak zwykle wchłoną go więcej, niż powinny. Po zetknięciu z wodą dwutlenek węgla rozpuszcza się, przekształcając się w kwas węglowy, którego roztwór najpierw utrzymuje się przy powierzchni, a następnie wskutek cyrkulacji oceanicznej zostaje rozprowadzony w całej objętości wody. W latach pięćdziesiątych oceany będą już tak zakwaszone, że dojdzie do katastrofy.

Rafy koralowe — najbardziej różnorodny ekosystem morski — są szczególnie wrażliwe na wzrost kwasowości[7]. Będą już osłabione wieloletnim blaknięciem, a w kwaśnym środowisku trudniej im będzie odbudowywać swoje szkielety z węglanu wapnia. Niewykluczone, że rafy całkiem się rozpadną — będzie przecież cieplej, a sztormy staną się dużo gwałtowniejsze.

---

[7] Najważniejszym źródłem informacji o blaknięciu raf koralowych i ich zamieraniu jest strona amerykańskiej organizacji rządowej NOAA Coral Reef Watch, https://coralreefwatch.noaa.gov. Jej członkowie monitorują warunki panujące na morzach całego świata za pomocą obrazów satelitarnych i systemów informacji geograficznej. Warto też zapoznać się z raportami przygotowanymi przez Global Coral Reef Monitoring Network: https://gcrmn.net/products/reports.

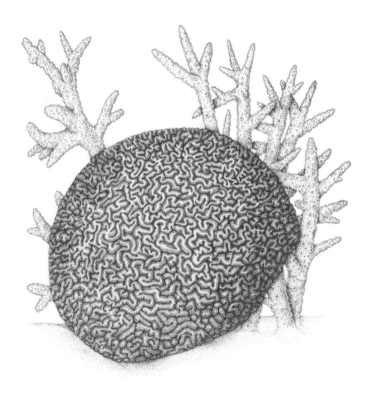

Według części prognoz dziewięćdziesiąt procent wszystkich raf zniknie w ciągu zaledwie kilku lat. Zakwaszenie wpłynie także na otwarte wody. Wiele gatunków wchodzących w skład planktonu, a tym samym stanowiących podstawę łańcucha pokarmowego, ma skorupy z węglanu wapnia. W kwaśnych wodach nie będą w stanie się rozwijać. Z tego powodu ucierpią także populacje ryb. Coraz trudniej będzie pozyskać małże i ostrygi. Lata pięćdziesiąte mogą być początkiem końca ery komercyjnych połowów i farm rybnych. Ponad pół miliarda ludzi może stracić źródło utrzymania, a z naszej diety zniknie źródło białka, na którym od zawsze mogliśmy polegać.

LATA OSIEMDZIESIĄTE
DWUDZIESTEGO PIERWSZEGO WIEKU

Globalna produkcja żywności będzie przechodzić kryzys[8]. W chłodniejszych i zamożniejszych regionach gleby staną się jałowe po dekadach intensywnej

---

[8] Organizacja Narodów Zjednoczonych do spraw Wyżywienia i Rolnictwa (FAO) opracowuje raporty na temat stanu światowego rolnictwa i produkcji żywności. Jednym z najważniejszych jest *Status of the World's Soil Resources* z 2015 roku omawiający najważniejsze problemy związane z wpływem intensywnego rolnictwa na środowisko: http://www.fao.org/3/a-i5199e.pdf.

gospodarki rolniczej i przenawożenia. Plony będą coraz niższe. Biedniejsze i cieplejsze kraje ucierpią z powodu fal upałów, nieregularnych monsunów, potężnych burz i susz, rolnicy znajdą się więc w jeszcze trudniejszej sytuacji. Wskutek erozji gleby ziemia będzie się osuwać do rzek na całym świecie, a piętrzące się wody zaczną zalewać miasta.

Jeśli nie ograniczymy stosowania pestycydów, przekształcania środowiska, a wśród owadów zapylających, w tym wśród pszczół, nadal będą się szerzyć choroby, spadek populacji zapylaczy wpłynie na trzy czwarte wszystkich naszych upraw. Bez sumiennej pracy owadów nie będziemy mieli orzechów, warzyw, owoców i roślin oleistych[9].

Niewykluczone, że sytuację pogorszy kolejna pandemia. Powoli zaczynamy dostrzegać powiązania między podupadającym środowiskiem a pojawianiem się nowych wirusów. Dzikie ssaki i ptaki mogą przenosić nawet milion siedemset tysięcy wirusów, które mogą stać się potencjalnym zagrożeniem dla człowieka[10]. Przekształcanie lasów w tereny uprawne i nielegalny handel zwierzętami może doprowadzić do wybuchu kolejnej pandemii.

[9] Naukowcy zgodnie twierdzą, że owady wymierają na całym świecie. Trudniej przewidzieć dalszy rozwój sytuacji. Jeden z najważniejszych artykułów na ten temat to: F. Sanchez-Bayo, K. Wyckhuys, *Worldwide decline of the entomofauna: A review of its drivers*, 2019, https://www.sciencedirect.com/science/article/pii/S0006320718313636.

[10] Podczas pandemii COVID-19 Międzyrządowa Platforma ds. Różnorodności Biologicznej i Funkcji Ekosystemu (IPBES) zamieściła artykuł na temat związku między nowymi wirusami a niszczeniem środowiska. Więcej zob. https://ipbes.net/covid19stimulus.

Co nas czeka

PIERWSZA DEKADA
DWUDZIESTEGO DRUGIEGO WIEKU

Następne stulecie może rozpocząć się od globalnego kryzysu humanitarnego — migracji ludności na niespotykaną dotąd skalę.

Trudne czasy nastaną dla mieszkańców wybrzeży. W wyniku topnienia grenlandzkich i antarktycznych lodowców w dwudziestym pierwszym wieku poziom mórz podniesie się o dziewięćdziesiąt centymetrów, a coraz cieplejsze oceany będą zajmować kolejne obszary[11]. Już od połowy stulecia miliard ludzi żyjących w pięciuset nadmorskich miastach będzie się zmagać z anomaliami pogodowymi, a na początku dwudziestego drugiego wieku woda zaleje porty i obszary do nich przylegające[12]. Ubezpieczyciele nie będą chcieli objąć ochroną nieruchomości na terenie Rotterdamu, Ho Chi Minh, Miami i wielu innych miast, które w rezultacie opustoszeją. Ich mieszkańcy będą musieli przenieść się w głąb lądu.

[11] Międzyrządowy Zespół ds. Zmian Klimatu to najważniejsza międzynarodowa grupa oceniająca doniesienia na temat zmian klimatycznych. Raport *Oceans and the Cryosphere in a Changing Climate* z 2019 roku zawiera najbardziej aktualne prognozy dotyczące podniesienia poziomu mórz (https://www.ipcc.ch/srocc/chapter/summary-for-policymakers).

[12] Organizacja C40 skupia metropolie walczące ze zmianami klimatycznymi. Ich strona stanowi dobre źródło informacji na temat tego, jak globalne ocieplenie może wpłynąć na tereny miejskie (https://www.c40.org).

Istnieje też poważniejszy problem. Jeśli wydarzy się to, o czym piszę, na początku kolejnego stulecia planeta będzie cieplejsza o cztery stopnie Celsjusza. Jedna czwarta ludzkości może zamieszkiwać rejony, w których średnia temperatura wyniesie ponad dwadzieścia dziewięć stopni Celsjusza. Dzisiaj tak ciepło jest tylko na Saharze[13]. Nie da się tam uprawiać ziemi, więc ponad miliard mieszkańców terenów wiejskich ruszy, by szukać bardziej przyjaznego miejsca do życia. Regiony o łagodniejszym klimacie zaczną się więc zmagać z falami uchodźców. Doprowadzi to zapewne do zamknięcia granic i wybuchu wielu konfliktów.

W tym samym czasie trwać będzie szóste masowe wymieranie gatunków.

Za życia ludzi, którzy obecnie przychodzą na świat, nasz gatunek powiedzie Ziemię jednokierunkową

---

[13] Istnieje wiele różnych modeli prognozujących wpływ zmian klimatycznych. Wariant, zgodnie z którym temperatura globalna wzrośnie o cztery stopnie Celsjusza do 2100 roku, zawarty jest w scenariuszu RCP8.5 5 Raportu IPCC (https://www.ipcc.ch/assessment-report/ar5). Hipoteza, zgodnie z którą jedna czwarta populacji ludzkości będzie żyć na terenach o średniej temperaturze przekraczającej 29°C, została opracowana na podstawie innego modelu, opartego na bardziej pesymistycznych danych. Nie można jej jednak wykluczyć. Więcej zob. C. Xu i in., *Future of the human climate niche*, „Proceedings of the National Academy of Sciences" 2020, t. 117 (21), s. 11350–11355, https://www.pnas.org/content/early/2020/04/28/1910114117.

uliczką. Nie da się odwrócić zmian, które w tym czasie zajdą. Utracimy nasz rajski ogród — stabilne i bezpieczne środowisko holocenu. W przyszłości czeka nas tylko zagłada świata przyrody, na którym opiera się cała cywilizacja.

Nikt tego nie chce. Nie możemy sobie na to pozwolić. Czy jednak możemy coś zrobić, skoro tyle rzeczy idzie nie tak?

Odpowiedzi na to pytanie udzielają naukowcy. Jest ona bardzo prosta. Już dawno powinniśmy ją dostrzec. Ziemia jest zamkniętym ekosystemem, tak samo jak szalka z bakteriami, ale nie jesteśmy na niej sami! Dzielimy ją ze światem przyrody, która w wyjątkowy, niesamowity sposób potrafi podtrzymywać istnienie życia za pomocą doskonalonego przez miliardy lat systemu odnawiania zasobów pożywienia, wchłaniania i przetwarzania szkodliwych odpadów, niwelowania szkód i dbania o globalną równowagę. To nie przypadek, że stabilność ziemskiego ekosystemu zachwiała się, kiedy zaczęła zanikać bioróżnorodność. Te dwie rzeczy są ze sobą powiązane. Dlatego, aby przywrócić planecie równowagę, musimy zadbać o to, czego ją pozbawiamy — właśnie o bioróżnorodność. To jedyny sposób poradzenia sobie z kryzysem, do którego doprowadziliśmy. Musimy przywrócić dziką przyrodę!

Wizja przyszłości.
Jak przywrócić
dziką przyrodę

Jak możemy przywrócić dziką przyrodę i pomóc Ziemi odzyskać równowagę? Ci, którzy zastanawiają się, czy da się zmienić przyszłość, zgadzają się co do jednego — drogę wskaże nam nowa filozofia, będąca w zasadzie powrotem do starych zasad. Na początku ery holocenu, przed wynalezieniem rolnictwa, kilka milionów ludzi żyło ze zbieractwa i łowiectwa. Ich styl życia nie zaburzał równowagi w środowisku naturalnym. Nie mieli wtedy innych możliwości.

Rozwój rolnictwa przyniósł nowe szanse. Nasz stosunek do otaczającego nas świata uległ zmianie. Zaczęliśmy postrzegać dziką przyrodę jako coś, co można oswoić, opanować i wykorzystać. To podejście niewątpliwie przyniosło nam olbrzymie korzyści, ale z upływem czasu zaczęliśmy tracić równowagę. Przestaliśmy być częścią natury i zaczęliśmy się od niej oddzielać.

Teraz powinniśmy zapoczątkować odwrotny proces. Zrównoważone współistnienie z przyrodą znowu stało się naszym jedynym wyjściem. Są nas jednak miliardy. Nie możemy i nie chcemy wrócić do zbieracko-łowieckiego trybu życia. Musimy odkryć nowy sposób funkcjonowania w zgodzie z naturą. To konieczne, aby liczba gatunków zaczęła rosnąć, zamiast spadać. Konieczne, jeśli chcemy, żeby dzika przyroda zaczęła powracać, a wraz z nią biologiczna równowaga.

Potrzebny nam będzie kompas. Na szczęście już go mamy. Jest nim model ograniczeń planety. Dzięki niemu wiemy, że musimy natychmiast zatrzymać, a najlepiej odwrócić zmiany klimatyczne, zajmując się każdym przypadkiem emisji gazów cieplarnianych. Musimy skończyć z nadużywaniem nawozów sztucznych. Musimy przestać zawłaszczać kolejne tereny pod pola uprawne. Powinniśmy wręcz pozwolić na to, by część pól i plantacji ponownie zdziczała. Musimy też pilnować, aby nie przekroczyć pozostałych granic — tych, które dotyczą warstwy ozonowej, zużycia słodkiej wody, zanieczyszczenia powietrza i zakwaszenia oceanów. Jeśli nam się to uda, bioróżnorodność przestanie powoli zanikać, a potem zacznie się odradzać. Ujmijmy to jeszcze inaczej — jeśli podporządkujemy wszystkie nasze działania odbudowie środowiska naturalnego, będziemy podejmować dobre decyzje. Skorzysta na tym przyroda i skorzystamy my sami, ponieważ to dzięki przyrodzie środowisko ziemskie jest stabilne.

Kompasowi brak jednak ważnego elementu. Z niedawno przeprowadzonych badań wynika, że za pięćdziesiąt procent wpływu, jaki ludzkość wywiera na przyrodę ożywioną, odpowiada szesnaście procent

Model pączka

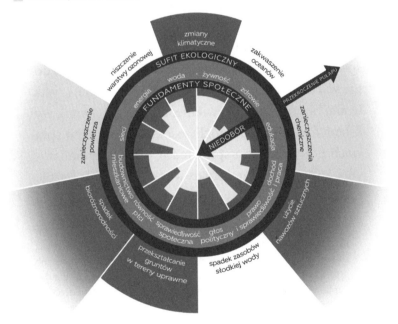

■ Granice, które zostały przekroczone
□ Granice, których nie oszacowaliśmy

najbogatszych ludzi na świecie[1]*. To styl życia, do którego przywykli zamożni mieszkańcy Ziemi, sprawił, że naruszona została równowaga ekologiczna. Planując przyszłość, musimy zająć się tym problemem. Nie wystarczy, że nauczymy się szanować ograniczone zasoby naszej planety. Powinniśmy też opracować bardziej sprawiedliwy sposób dzielenia się nimi.

Ekonomistka z uniwersytetu oksfordzkiego, Kate Raworth, sprecyzowała warunki tego wyzwania, dodając wewnętrzny krąg do modelu ograniczeń planety. Określa on minimalne warunki, które muszą zostać spełnione, by zapewnić ludzkości dobrobyt. Są to dobre warunki mieszkaniowe, opieka zdrowotna, czysta woda, bezpieczne pożywienie, dostęp do energii, wykształcenie, dochód, możliwość decydowania o sprawach politycznych i sprawiedliwość. Otrzymaliśmy więc kompas zawierający dwa zestawy granic bezpieczeństwa. Zewnętrzny pierścień to ekologiczny sufit,

---

[1] Wyniki te zostały opublikowane w *The Dasgupta Review: Independent Review on the Economics of Biodiversity* w 2020 roku. Artykuł podkreśla rolę środowiska naturalnego w nowoczesnej gospodarce. Więcej zob. https://www.gov. uk/government/publications/interim-report-the-dasgupta-review-independent-review-on-the-economics-of-biodiversity.

* W przypadku emisji gazów cieplarnianych sytuacja jest jeszcze bardziej skrzywiona. Typowa emisja człowieka należącego do jednego procenta najbogatszych jest około stu siedemdziesięciu pięciu razy większa niż emisja człowieka z grupy dziesięciu procent najbiedniejszych, zob. I.M. Otto, K.M. Kim, N. Dubrovsky i in., *Shift the focus from the super-poor to the super-rich*, „Nature Climate Change" 2019, t. 9, s. 82–84, https://doi.org/10.1038/s41558-019-0402-3 (przyp. konsultanta wyd. polskiego).

którego nie możemy przebić, jeśli chcemy żyć na stabilnej i bezpiecznej planecie. Wewnętrzny to poziom bazowy, ponad który musimy się wznieść, aby nasz świat był sprawiedliwy. Cały model nazwano pączkiem. Wygląda bardzo nęcąco, ponieważ przedstawia spokojną i godziwą przyszłość[2].

„Zrównoważony rozwój w każdej dziedzinie" powinien być głównym celem naszego gatunku, a model pączka naszym drogowskazem. Stajemy więc przed prostym, choć ogromnym wyzwaniem — musimy poprawić warunki życia ludzi na całym świecie, zmniejszając jednocześnie nasz wpływ na środowisko naturalne. Gdzie szukać inspiracji? Wystarczy przyjrzeć się przyrodzie. Znajdziemy w niej odpowiedzi na wszystkie pytania.

NIE MUSIMY WCIĄŻ ROSNĄĆ

Pierwsza lekcja, której udziela nam przyroda, dotyczy rozwoju*. Znaleźliśmy się w rozpaczliwej sytuacji

---

[2]   Książka Kate Raworth *Doughnut Economics* (2017) zawiera doskonałą diagnozę współczesnych systemów gospodarczych i ich nieprzystawalności do realiów środowiska naturalnego. Raworth szczegółowo opisuje model ekonomiczny pączka i podpowiada, jak zmienić obecny system.

*   W tekście autor często stosuje zamiennie słowa wzrost i rozwój, co jest zresztą popularne. Jednak fundamentalne znaczenie tych słów jest różne: można się przecież rozwijać bez wzrostu, można też rosnąć bez

z powodu ciągłego wzrostu gospodarczego. Ponieważ jednak miejsce, w którym żyjemy, ma granice, nic nie może bez końca wzrastać. Wszystkie elementy świata przyrody ożywionej — pojedyncze osobniki, populacje, a nawet ekosystemy — rosną przez jakiś czas, po czym osiągają dojrzałość. Wtedy funkcjonują najlepiej. Można więc żyć pełnią życia, nie rosnąc. Zarówno pojedyncze drzewa, jak i mrowiska, rafy koralowe czy też ekosystem całej Arktyki świetnie sobie radzą po osiągnięciu stanu dojrzałości. Najpierw wzrastają, rozbudowują się, a potem czerpią maksymalne korzyści z otoczenia. Eksploatują je, ale w zrównoważony sposób. Po fazie wzrostu wykładniczego osiągają szczyt, po czym funkcjonują na bardzo wysokim poziomie. Korzystają z zasobów przyrody w taki sposób, że są w stanie istnieć w nieskończoność.

Oczywiście nie oznacza to, że społeczność, która osiągnęła ten poziom, się nie zmienia. Dżungla amazońska istnieje od dziesiątków milionów lat[3]. Do niedawna jej powierzchnia prawie się nie zmieniała. Zajmuje jeden z najkorzystniej położonych terenów na Ziemi. Ilość światła słonecznego i opadów utrzymuje się na stałym poziomie, podobnie jest z żyznością gleby.

rozwoju. Warto mieć to na uwadze, czytając dalszy ciąg książki, gdzie sprawy te są nieco zagmatwane (przyp. konsultanta wyd. polskiego).

[3] Lasy tropikalne są często bardzo starymi ekosystemami. Informacje na temat ich historii i funkcjonowania można znaleźć w: J. Ghazoul, D. Sheil, *Tropical Rain Forest Ecology, Diversity, and Conservation*, Oxford University Press 2010.

A jednak zamieszkujące to miejsce gatunki mocno się zmieniły. Co roku byli wśród nich zwycięzcy i przegrani, których pozycja zmienia się niczym wyniki drużyny sportowej albo notowania giełdy papierów wartościowych. Niektóre populacje się rozrastają, zajmując nowy teren i wypychając z niego inny gatunek. Gdy jedno drzewo upadnie, kolejne natychmiast skorzysta z wolnego miejsca. Pojawiają się jedne gatunki, a inne znikają. Zdarza się, że taka zmiana stworzy jeszcze innemu gatunkowi nowe możliwości. Na przykład nowy gatunek nietoperzy może okazać się dobrym zapylaczem dla roślin, które rozkwitają nocą. Zmniejszenie populacji jakiegoś gatunku może z kolei sprawić, że pogorszy się sytuacja jeszcze innych roślin lub zwierząt. Las deszczowy bezustannie się dostosowuje, ulepsza i reaguje na zmiany, dzięki czemu od tak dawna radzi sobie doskonale, nie zużywając przy tym żadnych dodatkowych zasobów. Na całej planecie nie ma miejsca o większej bioróżnorodności, można więc powiedzieć, że dżungla amazońska osiągnęła spektakularny sukces. Mimo to nie rośnie. Jest na tyle dojrzała, że może po prostu trwać.

Na razie nie wygląda na to, by ludzkość osiągnęła podobną dojrzałość. Jak powie każdy specjalista od spraw gospodarczych, instytucje społeczne, ekonomiczne i polityczne od siedemdziesięciu lat kierują się jednym celem. Jest nim niekończący się wzrost każdego państwa. Mierzy się go prymitywną, prostą metodą — poprzez produkt krajowy brutto. Od niego zależą struktury społeczne, marzenia przedsiębiorców i obietnice polityków. Wynikiem tej obsesji jest Wielkie Przyspieszenie i wynikający z niego Wielki Spadek. Zasoby naszej planety są ograniczone, więc jedyną metodą na ciągły wzrost byłoby czerpanie ich z innego źródła. To, co uważaliśmy za cud współczesności, opierało się na zwykłej kradzieży. Niepokojące statystyki, które przytoczyłem, dowodzą, że zabraliśmy przyrodzie to, czego potrzebowaliśmy, nie zwracając uwagi na szkody, jakie przy tym wyrządzamy. Nie rozliczyliśmy się z zagłady gatunków, które straciły dom, kiedy wycinaliśmy lasy, by uprawiać soję na karmę dla kurczaków. Nie zapłaciliśmy za wpływ, jaki plastikowe butelki, w których kupujemy wodę, wywierają na morskie ekosystemy. Nie wzięliśmy na siebie odpowiedzialności za gazy cieplarniane, które wytworzyliśmy, produkując pustaki do budowy domów. Nic dziwnego, że krzywdy, jakie wyrządziliśmy Ziemi, tak nas zaskoczyły.

Pojawiła się nowa dziedzina nauk, która ma pomóc w rozwiązaniu tego problemu. Ekonomia środowiska i zasobów naturalnych zajmuje się koncepcją zrównoważonej gospodarki. Celem jest zmiana systemu gospodarczego, tak by korzyści nie leżały tylko w sferze finansowej, ale by dotyczyły też ludzi i planety. Mówi się o zasadzie trzy P — *People, Planet, Profit*, czyli ludzie, planeta, zysk. Wielu specjalistów pokłada nadzieje w koncepcji z i e l o n e g o   w z r o s t u; według niej możliwy jest wzrost gospodarczy, który nie będzie wywierał niekorzystnego wpływu na środowisko. Zielony wzrost może opierać się na wytwarzaniu mniej energochłonnych produktów albo na zamianie czynności wywierających niekorzystny wpływ na środowisko na takie, których szkodliwość jest znikoma lub zerowa. Inspiracją może też być sektor cyfrowy, który może korzystać z zasobów w sposób zrównoważony pod warunkiem korzystania z odnawialnych źródeł energii. Zwolennicy koncepcji zielonego wzrostu podkreślają, że rozwój ludzkości już nieraz rewolucjonizowały wynalazki i innowacje. Pierwszym przykładem może być wykorzystanie energii wodnej do napędzania maszyn. Znacząco wpłynęło to na produktywność wielu firm. Później zaczęliśmy wykorzystywać paliwa kopalne i konstruować silniki parowe, co zapoczątkowało rewolucję przemysłową i umożliwiło budowę kolei, parowców i samolotów, którymi przewozimy produkty i ludzi. Kolejne trzy fale innowacji to najpierw rozwój elektryczności, a co za tym idzie, początki telekomunikacji, następnie podbój kosmosu i związany z nim wybuch konsumpcjonizmu na Zachodzie w latach pięćdziesiątych dwudziestego wieku, i wreszcie rewolucja cyfrowa, za sprawą której zaczęliśmy korzystać z internetu i wielu inteligentnych urządzeń. Wszystkie te wydarzenia radykalnie zmieniły świat i umożliwiły rozwój licznych przedsiębiorstw. Wielu ekonomistów środowiska liczy na to, że niebawem nadejdzie szósta fala innowacji — rewolucja zrównoważonego r o z w o j u. W nowej rzeczywistości będzie można zbić majątek na nowych produktach i usługach, które zmniejszą nasz wpływ na planetę. Oczywiście, już teraz można zaobserwować początki tego ruchu. Mamy żarówki energooszczędne, tanie panele fotowoltaiczne, burgery roślinne, które smakują jak mięso, zrównoważone inwestycje. Być może kiedy politycy i liderzy biznesu zrozumieją skalę i tempo zmian środowiskowych, przestaną dotować pewne branże i zaczną wspierać zrównoważony rozwój. Tylko w ten sposób gospodarki mogą nadal wzrastać, przynajmniej przez jakiś czas.

Jak by nie patrzeć, zielony wzrost to też wzrost. Czy ludzkość będzie w stanie wyjść poza fazę wzrostu, dojrzeć i wejść w fazę równowagi? Czy kiedy przetoczy się już szósta fala innowacji, staniemy się jak dżungla amazońska? Czy nauczymy się po prostu trwać, korzystając z zasobów w zrównoważony sposób, ale nie rosnąc? Niektórzy liczą na to, że w przyszłości ludzkość zdoła wyleczyć się z uzależnienia od ciągłego wzrostu, że PKB przestanie być wyznacznikiem wszystkiego, a miarą sukcesu stanie się uwzględnianie wszystkich trzech P — ludzi, planety i zysku. Takim miernikiem mógłby być Światowy Wskaźnik Szczęścia (HPI — *Happy Planet Index*), opracowany w 2006 roku przez New Economics Foundation* . Wykorzystuje się go do oszacowania poziomu

---

* Wielu badaczy od lat proponuje inne mierniki lub wskaźniki, które mogą zastąpić PKB, ten przykładowy nie musi być najlepszy czy optymalny, można też używać kombinacji wskaźników, zob. V. Anderson,

dobrostanu, biorąc pod uwagę zarówno *ślad ekologiczny* danego państwa, jak i tradycyjne wskaźniki, takie jak długość życia i subiektywny poziom szczęścia. Ranking krajów według HPI wygląda zupełnie inaczej niż ranking krajów o najwyższym PKB. W 2016 roku w czołówce znalazły się Kostaryka i Meksyk — kraje o wyższym poziomie dobrostanu niż Stany Zjednoczone i Wielka Brytania, zostawiające nieporównywalnie niższy ślad ekologiczny. Światowy Wskaźnik Szczęścia ma oczywiście wady. Ponieważ wynik jest wypadkową kilku czynników, może się zdarzyć, że kraj o wysokim śladzie ekologicznym, taki jak Norwegia, znajdzie się wysoko w rankingu dzięki wysokiej jakości życia obywateli. Z kolei Bangladesz plasuje się bardzo nisko, choć jego ślad węglowy jest znikomy. Wiele krajów uważa jednak Światowy Wskaźnik Szczęścia i podobne mu mierniki za poważne alternatywy dla PKB, zachęcając przy tym do szerszej debaty na temat ludzkości i celu jej istnienia[4].

W 2019 roku odważny krok zrobiła Nowa Zelandia, rezygnując z mierzenia sukcesu gospodarczego za

---

Alternative Economic Indicators (*Routledge Revivals*), 2015 (przyp. konsultanta wyd. polskiego).

[4] *The Dasgupta Review: Independent Review on the Economics of Biodiversity — an interim report* proponuje rezygnację z mierzenia sukcesu za pomocą PKB. Zamiast tego powinniśmy stosować PKN (produkt krajowy netto), który uwzględnia zużycie środków trwałych, czyli także koszty środowiskowe. Więcej zob. https://www.gov.uk/government/publications/interim-report-the-dasgupta-review-independent-review-on-the-economics-of-biodiversity. Dodatkowe informacje na temat Światowego Wskaźnika Szczęścia zob. http://happyplanetindex.org.

pomocą PKB. Władze kraju nie zdecydowały się jednak na żaden inny, opracowany już miernik i stworzyły własny na bazie tych najbardziej palących kwestii. Uwzględniono wszystkie trzy czynniki — zysk, ludzi i planetę. Tą decyzją premier Nowej Zelandii Jacinda Ardern na nowo ustawiła priorytety kraju. Dążenie do wzrostu gospodarczego zostało zastąpione przez coś, co znacznie lepiej odzwierciedla problemy i dążenia wielu z nas. Ta zmiana polityki ułatwiła jej podjęcie decyzji, kiedy w lutym 2020 roku wybuchła pandemia koronawirusa. Zamknęła granice kraju, zanim ktokolwiek zmarł, podczas gdy władze innych państw wahały się w obawie przed potencjalnymi skutkami gospodarczymi. Po kilku miesiącach Nowozelandczycy mogli wrócić do normalnego funkcjonowania, ponieważ w kraju odnotowano tylko kilka przypadków zachorowań.

Nowa Zelandia może stanowić wzór. Badania przeprowadzone w innych krajach dowodzą, że ludzie oczekują, iż rząd zacznie przedkładać dobro społeczeństwa i planety nad kwestie finansowe. Zamożne państwa, które zbudowały swoją pozycję, nie dbając przy tym o środowisko, stoją przed niezwykle trudnym zadaniem. Muszą drastycznie obniżyć swój ślad ekologiczny przy utrzymaniu jednocześnie wysokiego poziomu życia. Z tej perspektywy wszystkie państwa należą w tej chwili do krajów rozwijających się. Wszystkie muszą przestawić się na zielony wzrost i przyłączyć do rewolucji zrównoważonego rozwoju.

Ludzkość nie osiągnęła jeszcze dojrzałości. Jak młodziutkie drzewo w Amazonii, które skwapliwie korzysta z pustego miejsca, do tej pory skupialiśmy się na tym, by rosnąć. Według ekonomistów środowiskowych nadszedł czas na wyhamowanie. Powinniśmy zacząć sprawiedliwie rozdzielać surowce, przygotowując się do dojrzałości i życia dorosłych drzew. To jedyny sposób na pławienie się w promieniach słońca, do których dostęp zdobyliśmy dzięki szybkiemu rozwojowi, i na stabilne życie pełne sensu.

PRZEJŚCIE NA CZYSTĄ ENERGIĘ

Świat przyrody ożywionej jest zasadniczo napędzany energią słoneczną. Rośliny, wliczając fitoplankton i glony, odbierają dziennie trzy biliony kilowatogodzin energii słonecznej. My zużywamy prawie dwadzieścia razy mniej energii. W dodatku one pobierają ją bezpośrednio ze słońca, magazynując ją w organicznych związkach węgla. Pozyskują je, wiążąc dwutlenek węgla z powietrza. Podczas tego procesu wydzielają tlen jako produkt uboczny. Ten proces nazywany jest fotosyntezą. Zależą od niego wszystkie ich funkcje życiowe, od wytwarzania łodyg i pni przez produkcję nasion, które dają początek kolejnym pokoleniom, owoców, którymi kuszą zwierzęta roznoszące nasiona, aż po magazynowanie składników pokarmowych, które pozwalają im przetrwać ciężkie czasy.

Zwierzęta, łącznie z nami, spędzają dużo czasu, próbując na tym skorzystać. Wgryzamy się w owoce, wysysamy sok i skubiemy delikatne kawałki liści i korzeni. Zjadamy też mięso zwierząt, które odżywiają się roślinami, więc korzystamy przy tym z energii słonecznej niejako z drugiej ręki. Niektóre organizmy — pewne grzyby i bakterie — powoli przerabiają ciała martwych zwierząt na płyn, pozyskując przy tym cenne związki organiczne. A kiedy ktoś — czy to zwierzę, czy roślina, glon, fitoplankton, grzyb lub bakteria — wreszcie rozbije te związki, by pozyskać zmagazynowaną w nich energię, do atmosfery ulatuje dwutlenek węgla, który później może zostać ponownie wykorzystany przez rośliny w procesie fotosyntezy.

Przetwarzanie i dystrybucja energii słonecznej oraz wymiana węgla między atmosferą a żywymi organizmami są podstawą życia na Ziemi od trzech i pół miliarda lat. Przez ten czas lasy, torfowiska, bagna, maty glonowe i zakwity dostarczały przyrodzie energii. Kiedy umierały, rozkładały się, a zmagazynowany w nich węgiel wracał do atmosfery. Od czasu do czasu cykl ten ulegał zaburzeniu. Pierwsze rośliny, które można porównać do drzew, pojawiły się mniej więcej trzysta milionów lat temu. Przypominały paprocie drzewiaste albo skrzypy, które, choć nieco mniejsze, są z nimi spokrewnione. Te pierwotne lasy rosły w tropikach, na bagnach, które wtedy pokrywały znaczną część lądu. Kiedy drzewa obumierały, przewracały się i zalegały pod wodą. Stopniowo pokrywały je przynoszone przez rzeki osady. Bez dostępu tlenu nie ulegały rozkładowi, a ich tkanki, wraz z zawartą w nich materią organiczną, ulegały sprasowaniu przez warstwy błota i piasku. Po jakimś czasie zamieniały się w węgiel. Podobne procesy zachodziły także w morzach i jeziorach, w których przez kilkaset milionów lat rozwijał się plankton i glony. Od czasu do czasu szczątki tych organizmów opadały na dno, by zmienić się w ropę i gaz.

Dwieście lat temu zaczęliśmy wydobywać te surowce i je spalać, uwalniając przy tym do atmosfery dwutlenek węgla. Ujarzmiliśmy zgromadzoną w paliwach kopalnych energię, dzięki niej przemieszczamy się pojazdami i mamy ciepło w domach. Potrafimy wykorzystać ją nawet do topienia stali. Gromadzone przez wieki fotony stały się paliwem dla Wielkiego Przyspieszenia. Jednocześnie w ciągu kilku zaledwie dekad uwolniliśmy magazynowany przez miliony lat węgiel.

Taki czyn może pociągnąć za sobą katastrofalne skutki. Dwutlenek węgla jest w zasadzie stosunkowo nieaktywnym, nieszkodliwym gazem. Wydychamy go z każdym oddechem. Jest to jednak gaz cieplarniany, czyli działa jak koc, który zatrzymuje ciepło przy powierzchni planety. Im jest go więcej, tym skuteczniej podgrzewa Ziemię. Rozpuszcza się też w wodzie i zakwasza oceany. Podnosząc jego stężenie w atmosferze, odtwarzamy zmiany, które doprowadziły do największego masowego wymierania gatunków w historii, w dodatku znacznie zwiększając ich tempo.

Znaleźliśmy się więc w bardzo trudnej sytuacji. Nie mamy wyjścia, musimy przestawić się na inne paliwo. Co więcej, powinniśmy się pospieszyć. W 2019 roku ropa, gaz i węgiel dostarczały nam osiemdziesiąt pięć procent energii[5]. Niecałe siedem procent wytworzyły elektrownie wodne, które emitują mniej dwutlenku węgla, ale i tak wyrządzają sporo szkód w środowisku, a poza tym można je stawiać tylko w określonych miejscach. Energia atomowa — bez wątpienia niskowęglowa, choć obarczona ryzykiem innego rodzaju — to trochę ponad cztery procent. Zasoby, których powinniśmy używać, niewyczerpane i naturalne — Słońce, wiatr, fale, pływy i ciepło pochodzące z wnętrza Ziemi — tak zwane źródła odnawialne, dostarczają nam zaledwie cztery procent energii. Powinniśmy się całkowicie na nie przestawić w ciągu niecałej dekady*.

---

[5] Głównym źródłem takich danych jest International Energy Agency (www.iea.org).

* Każdy sposób produkcji energii użytecznej obdarzony jest ryzykiem i efektami środowiskowymi. Autor sam to zauważa, pisząc o energii wodnej, która jest też odnawialna, jak i inne wymieniane przez niego. Warto zważyć zagrożenia i ryzyka oraz korzyści związane ze wszystkimi źródłami energii użytecznej nieemitującymi gazów cieplarnianych i na nie się przestawić w proporcji zależnej od uwarunkowań lokalnych, z naciskiem na racjonalizację i minimalizację wykorzystania energii użytecznej (przyp. konsultanta wyd. polskiego).

Prypeć na Ukrainie. Miasto zbudowane w latach siedemdziesiątych dwudziestego wieku dla pracowników elektrowni atomowej w Czarnobylu. W jednym z jej reaktorów doszło w maju 1986 roku do wybuchu, a wszyscy mieszkańcy Prypeci musieli zostać natychmiast ewakuowani. Na horyzoncie widać zniszczony reaktor, zamknięty pod betonową kopułą, która ma zapobiegać dalszej emisji cząsteczek radioaktywnych. (© KIERAN O'DONOVAN)

Bloki mieszkalne, zbudowane w stylu obowiązującym w latach siedemdziesiątych, dzisiaj stoją puste, podobnie jak sale taneczne, szkoły, baseny i budki telefoniczne. Gdy ludzie zniknęli, na teren miasta zaczęła wracać przyroda. (© MAXYM MARUSENKO/NUR PHOTO/GETTY)

W studiu, podczas kręcenia *Zoo Quest to Paraguay*. Pokazuję widzom pancernika sześciopaskowego. W tle widać leniuchowca dwupalczastego, który czeka na swoją kolej przed kamerą. (© BBC)

Obok u góry: Charles Lagus i ja wyruszamy do Sierra Leone w 1954 roku. Nawigacja lotnicza nie była jeszcze tak zaawansowana, żeby możliwe były nocne loty do Afryki Zachodniej, musieliśmy więc zatrzymać się na noc w Casablance. (© DAVID ATTENBOROUGH)

Obok u dołu: Przywódca grupy Biami, która nigdy wcześniej nie miała kontaktu z Europejczykami, wymienia pobliskie rzeki. Biami mieszkają w środkowej części Nowej Gwinei. Poszczególne grupy etniczne używają innych gestów do liczenia. W ten sposób można się było zorientować, z jakimi innymi społecznościami Biami handlowali. (© DAVID ATTENBOROUGH)

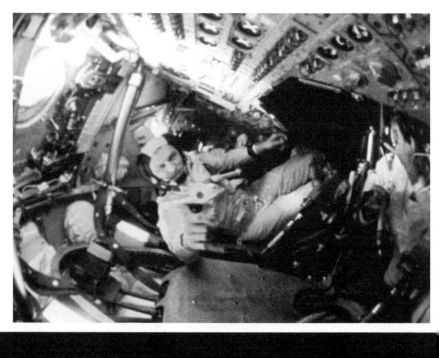
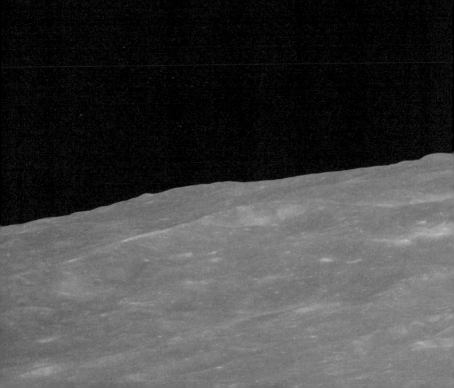

Obok: Dowódca Frank Borman we wnętrzu statku kosmicznego Apollo 8. Podczas tej misji, w 1968 roku, okrążono Księżyc. (© NASA)

Ziemia sfotografowana z pokładu Apollo 8 — pierwsze zdjęcie, które pokazało Ziemię z takiego dystansu, zmieniając nasz sposób patrzenia na siebie i na planetę. (© NASA)

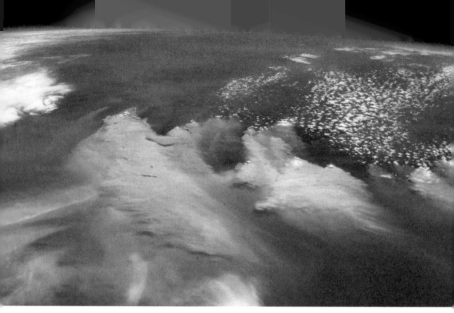

Gęsty, brązowy dym otacza białe chmury zbierające się nad południowo-wschodnim wybrzeżem Australii. Pożary buszu wymknęły się spod kontroli. Latem na przełomie 2019 i 2020 roku spłonęło ponad siedemdziesiąt tysięcy kilometrów kwadratowych, a ponad trzy miliardy zwierząt zginęły lub musiały uciekać. Za jedną z przyczyn pożarów uważa się czynniki klimatyczne, chociaż rząd australijski wykluczył wówczas taką możliwość. (© GEOPIX/ALAMY)

Podczas prac nad *Lodową planetą* towarzyszyłem naukowcom z Norwegian Polar Institute, którzy usypiali niedźwiedzie, strzelając do nich z helikoptera lotkami ze środkiem usypiającym. W wyniku wieloletnich badań dowiedziono, iż niedźwiedzie tracą masę, ponieważ kurcząca się powierzchnia lodu utrudnia im polowanie na foki. Jeśli ta tendencja się utrzyma, najprawdopodobniej doprowadzi do zagłady całego gatunku. (© BBC)

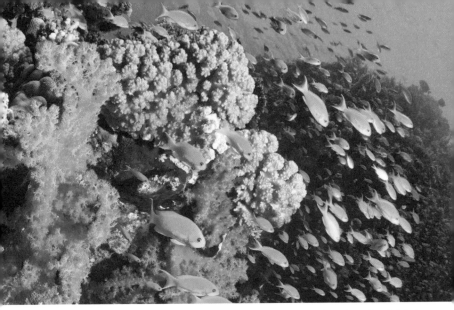

Rafy koralowe, takie jak ta w Morzu Czerwonym, u wybrzeży Egiptu, należą do najbardziej różnorodnych środowisk naszej planety. Jednakże, przy całym swoim bogactwie i złożoności, są też niezwykle delikatne. Jeśli klimat będzie się zmieniał tak szybko, jak obecnie, w ciągu kilku dziesięcioleci dziewięćdziesiąt procent wszystkich raf może zniknąć w wyniku wzrostu temperatury i kwasowości wody. (© GEORGETTE DOUWMA/NATUREPL.COM)

Blaknięcie koralowców, którego przyczyną bywa cieplejsza woda, jest oznaką stresu, na jaki narażone są rafy. Wraz ze wzrostem temperatury koralowce odrzucają glony żyjące w ich tkankach. Wiele z nich ginie. Pozostają tylko białe szkielety, które zbudowały. (© JÜRGEN FREUND/NATUREPL.COM)

Humbaki, podobnie jak inne duże wieloryby, były masowo odławiane przez duże, komercyjne floty w pierwszej połowie dwudziestego wieku. Kiedy ich połowy zostały zakazane, liczebność humbaków wzrosła. Wcześniej było ich zaledwie kilka tysięcy, teraz populację szacuje się na mniej więcej osiemdziesiąt tysięcy osobników. Wynika z tego, że przyroda potrafi się szybko regenerować, jeśli tylko jej na to pozwolimy. (© BRANDON COLE/NATUREPL.COM)

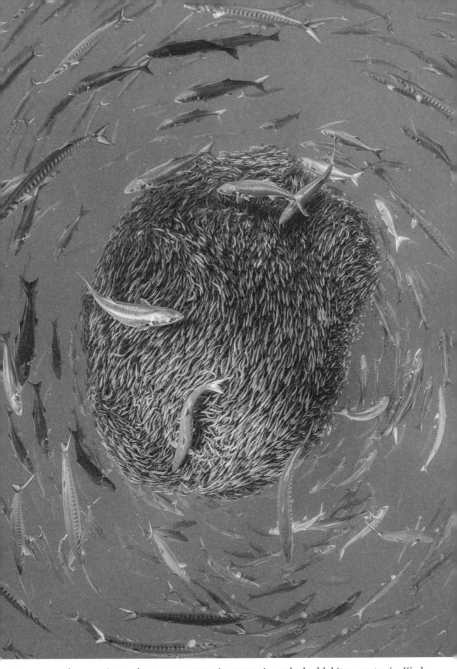

Otwarte wody oceaniczne do pewnego stopnia stanowią rozległą, błękitną pustynię. Kiedy jednak blisko powierzchni nagromadzą się składniki odżywcze, zakwita plankton. Prowadzi to do intensywnej aktywności innych zwierząt. Na zdjęciu widać żerującą na planktonie ławicę makreli, którą zbiły w kulę polujące barakudy i lufary. (© JORDI CHIAS/NATUREPL.COM)

Wody oceaniczne zanieczyszczone plastikiem. Rekin wielorybi żeruje wśród śmieci, wchłaniając z pokarmem cząsteczki plastiku. (© RICH CAREY/SHUTTERSTOCK)

Chińczyk sortuje butelki plastikowe we wsi Dong Xiao Kou pod Pekinem. (© FRED DUFOUR/AFP/ GETTY)

Śmieci wyrzucone na plażę na Wyspie Bożego Narodzenia na Oceanie Spokojnym. (© GARY BELL / OCEANWIDE/NATUREPL.COM)

Mniszka hawajska zaplątana w sieci rybackie u wybrzeży Kure — atolu na Oceanie Spokojnym. Po wykonaniu zdjęcia fotograf pomógł zwierzęciu się wyplątać, a następnie wypuścił je do oceanu. (© MICHAEL PITTS/NATUREPL.COM)

Wydra morska to jeden z głównych gatunków zasiedlających lasy wodorostów, niezwykle produktywne ekosystemy morskie. Wydry żywią się jeżowcami, które z kolei zjadają wodorosty. W ten sposób ekosystem trwa w stanie równowagi. Jest to przykładem na to, jak bioróżnorodność może wpływać na sekwestrację dwutlenku węgla. (© BERTIE GREGORY/NATUREPL.COM)

Żubr europejski wyginął na początku dwudziestego wieku, przetrwały tylko zwierzęta żyjące w niewoli. Dzięki prowadzonej w kilku krajach reintrodukcji, żubry zostały przywrócone i stały się symbolem ruchu na rzecz ponownego zadziczenia Europy. (© WILD WONDERS OF EUROPE/UNTERTHINER/NATUREPL.COM)

Rafy koralowe i otwarte wody Palau były niegdyś intensywnie przeławiane. Odważne decyzje polityczne oparte na tradycyjnym, zrównoważonym rybołówstwie przyczyniły się do znaczącego wzrostu bioróżnorodności. (© PASCAL KOBEH/NATUREPL.COM)

Bocian biały przynosi budulec na gniazdo, przyłączając się do swojej partnerki. Zdjęcie wykonano na terenie Knepp Estate, wprowadzającej pionierskie rozwiązania farmy w Wielkiej Brytanii, w kwietniu 2019 roku. To pierwsza od stuleci obserwacja gniazdujących bocianów białych na terenie tego kraju. (© NICK UPTON/NATUREPL.COM)

Dian Fossey z gorylami górskimi w Ruandzie. Dzięki jej działalności świat zainteresował się losem tego gatunku człekokształtnych. Pomogła nam przy kręceniu *Życia na Ziemi*. (© THE DIAN FOSSEY GORILLA FUND INTERNATIONAL)

Wilki na grani w parku narodowym Yellowstone w Stanach Zjednoczonych. Reintrodukcja wilków w 1995 roku wpłynęła na cały ekosystem, dzięki czemu wiemy, jak ważne podczas przywracania bioróżnorodności są duże drapieżniki. (© SUMIO HARADA/MINDEN/NATUREPL.COM)

Elektrownia słoneczna w Warzazat w Maroku — największa tego typu elektrownia na świecie. Przesyła prąd nocą, wykorzystując energię zgromadzoną w stopionej soli. (© XINHUA/ALAMY LIVE NEWS)

Z Jonniem Hughesem, reżyserem i współautorem tej książki, w tym samym kamieniołomie w Leicestershire, który odwiedzałem, szukając skamielin w dzieciństwie. Omawiamy scenariusz i kręcimy film dokumentalny, który towarzyszy książce. (© ILAIRA MALLALIEU)

Od dawna wspieram WWF. W 2016 roku przemawiałem podczas premiery ich raportu *Living Planet* — opracowywanego co dwa lata dokumentu, będącego najważniejszym zapisem spadku bioróżnorodności na naszej planecie. (© STONEHOUSE PHOTOGRAPHIC/WWF_UK)

Podnieśliśmy już globalną temperaturę o półtora stopnia Celsjusza w porównaniu z czasami sprzed epoki przemysłowej. Wiadomo, ile dwutlenku węgla możemy jeszcze uwolnić do atmosfery, jeśli chcemy zatrzymać ten wzrost — tę ilość określa się mianem b u d ż e t u w ę g l o w e g o. Przy obecnej skali emisji osiągniemy limit przed końcem dekady[6].

Nasza niefrasobliwość w kwestii spalania paliw kopalnych sprawiła, że stanęliśmy w obliczu największego i najpilniejszego wyzwania w historii. Jeśli uda nam się błyskawicznie przejść na energię odnawialną, przyszłe pokolenia będą spoglądać na nas z wdzięcznością. Jako pierwsi zrozumieliśmy, na czym polega problem, i jako ostatni mamy szansę się z nim zmierzyć. Droga do świata napędzanego energią bez wytwarzania dwutlenku węgla będzie wyboista, a kolejne dziesięciolecia z pewnością okażą się trudne. Mimo to wielu specjalistów uważa, że da się to zrobić. Nasz gatunek świetnie sobie radzi z problemami. Pokonaliśmy dotąd niejeden zakręt, zapoczątkowując przy tym ogromne zmiany społeczne. Możemy to zrobić jeszcze raz.

Pokonaliśmy już pierwszą przeszkodę, czyli znalezienie alternatywy. Sektor energetyczny umie już pozyskać energię ze Słońca, z wiatru, wody i wnętrza Ziemi.

---

[6] Temat budżetu węglowego to bardzo specjalistyczna dziedzina. Więcej zob. https://www.ipcc.ch/sr15/chapter/chapter-2. Prognozy dotyczące emisji CO_2 można znaleźć tu: https://ourworldindata.org/co2-and-other-greenhouse-gas-emissions#future-emissions.

Nie rozstrzygnęliśmy jednak jeszcze kilku kwestii. Nie wiemy, jak przechowywać tę energię. Wciąż pracujemy nad technologią wytwarzania baterii. Odnawialne źródła nie są jeszcze aż tak wydajne, by można się było do nich ograniczyć przy ogrzewaniu i schładzaniu pomieszczeń oraz w branży transportowej. Czasem musimy stosować jakieś tymczasowe rozwiązania, które pomagają obejść problem. Niektóre z tych rozwiązań są niedoskonałe i, jak pisze Paul Hawken, autor Projektu Drawdown[7], możemy ich żałować. Prawdopodobnie będziemy ratować sytuację, korzystając z energii atomowej, budując potężne elektrownie wodne lub kontynuując wydobycie gazu, który jest wprawdzie paliwem kopalnym, ale generuje niższą emisję dwutlenku węgla niż ropa i węgiel. Wszystkie te sposoby mają sporo minusów. Możliwe, że nauczymy się wykorzystywać b i o p a l i w a, czyli produkty wytwarzane przez rolników, ale i to rozwiązanie ma sporo minusów, gdyż do produkcji biopaliw potrzebne są tereny uprawne*. Niewykluczone, że branża transportowa zacznie wkrótce korzystać z różnych alternatywnych źródeł

---

[7] Projekt Drawdown to organizacja pozarządowa, która przygotowała wyczerpującą i przystępną analizę środków, które pomogą zatrzymać zmiany klimatyczne. Każda propozycja zmian została szczegółowo omówiona, a jej koszty oszacowane. Więcej zob. www.drawdown.org.

* Nie wszystkie wspomniane rozwiązania przejściowe są równoważne. Krytycznie ważne jest zaprzestanie emisji gazów cieplarnianych i ochrona całej materii organicznej, czyli w praktyce zaprzestanie spalania węgla, obecnego we wszystkich paliwach kopalnych, i biomasy (biopaliw) (przyp. konsultanta wyd. polskiego).

energii, a do samochodów elektrycznych dołączą pojazdy na biopaliwa produkowane z roślin i glonów. Popularne staną się też ogniwa wodorowe. Specjaliści są zgodni co do tego, że największym problemem będzie transport lotniczy. Trwają prace nad samolotami hybrydowymi, a także napędzanymi tylko prądem lub paliwem wodorowym. Zanim zaczną być wykorzystywane na szeroką skalę, branża lotnicza zacznie prawdopodobnie wliczać w ceny biletów dodatkowe opłaty przeznaczone na kompensację śladu węglowego — nazywa się je offsetem węglowym. Przed nami sporo pracy, jeśli chcemy, by te prowizoryczne rozwiązania były stosowane jak najkrócej. Wkrótce przekroczymy nasz budżet węglowy, jeśli więc chcemy nadal używać paliw kopalnych, musimy drastycznie zredukować emisję dwutlenku węgla w innych branżach.

Kolejną potencjalną barierą są koszty, ale i ta przeszkoda wkrótce powinna zostać pokonana. Rosnąca popularność energii słonecznej i wiatrowej obniżyła już ceny do takiego poziomu, że wygenerowanie kilowata energii odnawialnej stało się tańsze niż wyprodukowanie go z wykorzystaniem węgla, energii wodnej i wodoru. Powoli zbliża się nawet do cen ropy i gazu. Co więcej, obsługa odnawialnych surowców jest tańsza. Szacuje się, że w ciągu najbliższych trzydziestu lat sektor energetyki odnawialnej zaoszczędzi miliardy dolarów na kosztach operacyjnych. Wiele osób liczy na to, że spadające koszty wystarczą, by zielona energia zastąpiła paliwa kopalne. Zapominają oni jednak o istnieniu trzeciej bariery.

Niewykluczone, że najpoważniejszą przeszkodą, z którą przyjdzie nam się zmierzyć, jest coś, co możemy nazwać żywotnym interesem. Zmiana jest wrogiem tych, którzy zainwestowali w *status quo*. W tej chwili sześć największych firm na świecie działa w branży paliwowej. Trzy z nich to przedsiębiorstwa państwowe, a dwie z pozostałych zajmują się transportem. Nie są to oczywiście jedyni gracze na rynku paliw kopalnych. Prawie każda duża firma i prawie każdy rząd korzysta z ropy i gazu. Przemysł ciężki używa ich do podgrzewania lub schładzania linii produkcyjnych. Większość dużych banków i funduszy emerytalnych inwestuje w paliwa kopalne, stanowiące zagrożenie dla przyszłości, na którą oszczędzamy. Zmiana tak głęboko zakorzenionego systemu będzie wymagała ostrożności. Analitycy rynku przewidują, że instytucje finansowe i rządy zaczną stopniowo pozbywać się udziałów w firmach paliwowych, aby uniknąć dużych strat. Społeczeństwo zacznie naciskać na polityków, by przestali dotować wydobycie paliw kopalnych, na co obecnie przeznacza się miliardy dolarów, i zaczęli wspierać energię odnawialną. W wielu krajach gospodarstwa domowe, które produkują własną energię, mogą odsprzedawać jej nadwyżki. W ten sposób rządy zachęcają do tworzenia mikrosieci elektroenergetycznych.

Istnieją jeszcze inne trendy, które mogą istotnie przyspieszyć odchodzenie od paliw kopalnych, ale obecnie trudno je zauważyć. Część analityków uważa, że pojawienie się samochodów autonomicznych zrewolucjonizuje branżę motoryzacyjną[8]. Ich zdaniem mieszkańcy miast zaczną w najbliższych latach rezygnować z posiadania własnych aut. Wystarczy im możliwość zamówienia pojazdu w razie potrzeby. Dostępne będą tylko samochody elektryczne, napędzane zieloną energią, a wypożyczać się je będzie bezpośrednio od producentów, którzy będą dbać o większą wydajność i niezawodność swoich produktów.

Wiadomo, że najważniejszym czynnikiem skłaniającym nas do rezygnacji z paliw kopalnych będą koszty związane z emisją dwutlenku węgla, ponoszone w postaci p o d a t k u w ę g l o w e g o. Szwecja wprowadziła go już w latach dziewięćdziesiątych ubiegłego wieku, dzięki czemu wiele firm zrezygnowało z tradycyjnej energii. Według Stockholm Resilience Centre[9] wystarczy odpowiednia cena (od pięćdziesięciu dolarów za tonę emisji dwutlenku węgla), żeby zmotywować

---

[8] Więcej na temat prognoz radykalnych zmian, które mogą wystąpić w branży motoryzacyjnej zob. https://www.rethinkx.com/transportation.

[9] Stockholm Resilience Centre to jedna z czołowych instytucji zajmujących się badaniami nad systemem Ziemi i zrównoważonym rozwojem. To właśnie tam opracowano koncepcję Ograniczeń Planety i wiele wskazówek dla rządów. Więcej zob. https://www.stockholm-resilience.org.

przedsiębiorców do przechodzenia na technologie ekologiczne. Podatek skłania firmy, które nadal korzystają z ropy i gazu, do ograniczania emisji i zachęca naukowców i wizjonerów do szukania nowych technologii i procedur. Trzeba zachować ostrożność, wprowadzając go, żeby nie zaszkodzić najuboższym członkom społeczeństwa, z badań wynika jednak, że jest to możliwe[10]. Krótko mówiąc, podatek węglowy mógłby znacząco przyspieszyć rewolucję, której potrzebujemy.

Kiedy świat bez węgla stanie się rzeczywistością, ludzie na całym świecie zaczną odczuwać korzyści wynikające z korzystania z energii odnawialnej. Zmniejszy się poziom hałasu. Woda i powietrze staną się czystsze. Będziemy się zastanawiać, jakim cudem tak długo znosiliśmy zanieczyszczenia prowadzące do przedwczesnych zgonów. Mniej zamożne państwa, które wciąż mają lasy i inne tereny zielone, będą mogły sprzedać swój kredyt węglowy krajom o wyższej emisji. Zdobyte fundusze zainwestują w energię odnawialną, co pomoże im w rozwoju. Kto wie, może zbudują inteligentne, czyste miasta, które pewnego dnia staną się najatrakcyjniejszymi miejscami do życia, przyciągając światowe elity.

---

[10] W raportach WWF można znaleźć sporo informacji na temat przechodzenia na energię odnawialną: https://www.wwf.org.uk/updates/uk-investment-strategy-building-back-resilient-and-sustainable-economy.

Czy to tylko fantazja? Niekoniecznie. Przynajmniej trzy kraje — Islandia, Albania i Paragwaj — całkowicie zrezygnowały już z paliw kopalnych do produkcji elektryczności. W kolejnych ośmiu węgiel, ropa i gaz odpowiadają za mniej niż dziesięć procent prądu. Pięć z tych państw leży w Afryce, a trzy w Ameryce Łacińskiej. Przejście na czystą energię i szerzej pojmowana rewolucja zrównoważonego rozwoju to szansa dla krajów szybko się rozwijających na pójście inną drogą i przeskoczenie wielu państw zachodnich.

Dobrym przykładem może być Maroko. Pod koniec ubiegłego wieku prawie cała produkcja energii w tym kraju opierała się na imporcie ropy i gazu. Obecnie czterdzieści procent pochodzi ze źródeł odnawialnych. Mają największą na świecie farmę fotowoltaiczną i są światowym liderem w zakresie nowej, stosunkowo niedrogiej technologii magazynowania energii za pomocą stopionych soli. Ich mieszanina przechowuje ciepło słoneczne przez wiele godzin, dzięki czemu energii z paneli fotowoltaicznych można używać także w nocy. Położone na skraju Sahary i połączone z południową Europą kablem Maroko może stać się kiedyś potęgą w zakresie eksportu energii słonecznej. Dla kraju, który nie ma złóż paliw kopalnych, to prawdziwa przepustka do zamożnego świata.

Wiemy z historii, że odpowiednia motywacja umożliwia wprowadzenie szybkich zmian. Mamy podstawy do tego, by wierzyć, że proces odchodzenia od paliw

kopalnych już się rozpoczął. Największe zużycie węgla w skali globalnej odnotowaliśmy w 2013 roku. Sektor węglowy jest w kryzysie, ponieważ inwestorzy powoli się wycofują. Szczyt wydobycia ropy naftowej nastąpi najprawdopodobniej w ciągu kilku lat, a gwałtowny spadek cen związany z pandemią koronawirusa może go dodatkowo przyspieszyć. Niewykluczone, że stanie się cud i uda nam się przejść na czystą energię już w pierwszej połowie dwudziestego pierwszego wieku.

Nadzieją napawa także możliwość związania części dwutlenku węgla z atmosfery i zneutralizowania go. Sekwestracja dwutlenku węgla (CCS) jest niezwykle kusząca dla polityków i biznesmenów, którzy chcieliby zyskać więcej czasu, nim będą zmuszeni zrezygnować z tradycyjnie pozyskiwanej energii. Technologia ta umożliwia wychwytywanie cząsteczek dwutlenku węgla ze spalin, a nawet bezpośrednio z powietrza, z wykorzystaniem ogromnych wentylatorów. Dwutlenek węgla można też sekwestrować podczas produkcji biomasy. Wychwycony związek może być następnie wtłoczony głęboko pod ziemię. Niektórzy specjaliści od geoinżynierii proponują jeszcze bardziej eksperymentalne metody, na przykład sekwestrację dwutlenku węgla z wykorzystaniem alg i bakterii, nawożenie oceanów żelazem, wtłaczanie dwutlenku węgla na dno morza i rozpylanie pyłu w stratosferze, by przysłonić słońce. Teoretycznie, część z tych pomysłów dałoby się zrealizować, a niektóre mogłyby nawet zadziałać na szerszą skalę, ale na razie nie są zbyt dobrze opracowane i niosą ze sobą duże ryzyko.

Dla tych, którzy przejmują się nie tylko zmianami klimatycznymi, ale także spadkiem bioróżnorodności, jest oczywiste, że istnieje lepsza metoda wiązania dwutlenku węgla. Jeśli przywrócimy światu dziką przyrodę, wchłonie ona ogromne ilości gazów cieplarnianych. Obniżając przy tym emisję, zyskamy dodatkowe korzyści. Rozwiązania oparte na przyrodzie (NBS, Nature Based Solutions) są opłacalne z wielu względów. Wspomagają wiązanie dwutlenku węgla i wzrost bioróżnorodności. Z badań prowadzonych na różnych ekosystemach wynika, że im więcej gatunków zamieszkuje dany obszar, tym lepiej radzi on sobie z wychwytywaniem i składowaniem dwutlenku węgla[11]. Rządy, instytucje finansowe i firmy powin-

---

[11] Związek między wyższą bioróżnorodnością a zdolnością ekosystemu do sekwestracji CO_2 wykazały np. badania Atwood i in. (2005). Wynika z nich, że kiedy ze słonych mokradeł w Nowej Anglii i z lasów namorzynowych oraz łąk morskich w Australii zniknęły drapieżniki, zdolność tych ekosystemów do sekwestracji obniżyła się wskutek wzrostu liczby gatunków roślinożernych. Więcej zob. https://www.nature.com/articles/nclimate2763. Liu i in. (2018) z kolei dowodzą, że wzrost liczby gatunków zamieszkujących lasy subtropikalne w Chinach szedł w parze ze wzrostem sekwestracji CO_2. Więcej: https://royalsocietypublishing.org/doi/full/10.1098/rspb.2018.1240. Osuri i in. (2020) twierdzą, że lasy naturalne lepiej sobie radzą z wychwytywaniem i magazynowaniem CO_2 niż plantacje w Indiach. Więcej zob. https://iopscience.iop.org/ article/10.1088/1748-9326/ab5f75. [Należy jednak pamiętać, że tempo możliwej sekwestracji jedynie przez procesy przyrodnicze jest niewielkie i najprawdopodobniej nie wystarczy, natomiast projekty dotyczące sztucznej sekwestracji

ny inwestować w rozwiązania oparte na przyrodzie. Środki z opłat offsetowych na całym świecie powinny być przeznaczone na odbudowę dzikiego środowiska. Ruch na rzecz ponownego zdziczenia mógłby wspomagać wszystkie siedliska, zatrzymując zmiany klimatyczne i szóste wymieranie. Już po kilku latach zauważylibyśmy pierwsze efekty. Najbardziej spektakularne zmiany zaszłyby w największym dzikim ekosystemie.

WTÓRNE ZDZICZENIE MÓRZ

Oceany pokrywają dwie trzecie powierzchni planety. Kiedy weźmie się pod uwagę także ich głębokość, okaże się, że pokrywają jeszcze większą część nadającej się do życia przestrzeni. Mają więc do odegrania wyjątkową rolę w rewolucji, której celem jest odbudowa dzikiej przyrody. Przywracając dzikość morskim ekosystemom, złapiemy trzy sroki za ogon — wychwycimy część dwutlenku węgla, poprawimy bioróżnorodność i zapewnimy sobie pożywienie. Musimy zacząć od branży, która w tej chwili najbardziej szkodzi oceanom — od rybołówstwa.

są słabo udokumentowane, zob. Specjalny Raport IPCC „Global warming of 1.5°C", 2018, https://www.ipcc.ch/sr15/ — uwaga konsultanta wyd. polskiego].

Część trzecia

Dzięki połowom pozyskujemy największą ilość pożywienia, którego nie wytwarzamy. Jeśli więc zaczniemy łowić we właściwy sposób, nie będziemy musieli rezygnować z jedzenia ryb. W tym przypadku to, co dobre dla nas, jest też dobre dla ekosystemu. Im będzie on zdrowszy i bardziej różnorodny, tym więcej będzie w nim ryb. Dlaczego więc w tej chwili to tak nie działa? Ponieważ za często łowimy w tych samych miejscach i koncentrujemy się na wybranych gatunkach. W dodatku za dużo marnujemy i używamy technologii, które niszczą środowisko. Najgorsze zaś jest to, że łowimy wszędzie. Zwierzęta nie mają się gdzie schować. Biolodzy morscy, tacy jak profesor Callum Roberts, wyjaśniają, że wszystkim problemom można by zaradzić, gdybyśmy, korzystając z wiedzy specjalistów, na całym świecie wdrożyli spójny system.

Po pierwsze, w wodach przybrzeżnych powinniśmy wyznaczyć miejsca, w których połowy byłyby zakazane. W tej chwili na świecie istnieje siedemnaście tysięcy morskich obszarów chronionych. Pokrywają one mniej niż siedem procent całej powierzchni oceanów, a na terenie wielu z nich dozwolone są określone rodzaje połowów[12]. Aby umożliwić rybom rozmnażanie

---

[12] Przydatne informacje na temat statusu poszczególnych rezerwatów można znaleźć na stronie Protected Planet: https://www.protected-planet.net/marine. Warto zauważyć, że nie wszystkie obszary chronione są pod właściwym nadzorem. Według niektórych szacunków zaledwie połowa z nich to faktyczne rezerwaty.

się, należy pilnie zakazać połowów na odpowiednio dużym obszarze. Dzięki temu pojedyncze osobniki będą mogły rosnąć. Potomstwo dużych ryb też będzie miało większe rozmiary, a ostatecznie zasiedli wody, w których prowadzone są połowy. Wokół rygorystycznie chronionych obszarów morskich na całym świecie, od Arktyki aż po rejony tropikalne, zaobserwowano tzw. e f e k t r o z l a n i a. Społeczności rybackie początkowo protestują przeciwko zakazom połowów, ale po kilku latach zaczynają odczuwać korzyści wynikłe z ich wprowadzenia.

Morski Park Narodowy Cabo Pulmo położony jest u wybrzeży meksykańskiego stanu Kalifornia Dolna. W latach dziewięćdziesiątych dwudziestego wieku z powodu przełowienia w wodach tego obszaru prawie nie było ryb, a miejscowi rybacy, rozpaczliwie szukający jakiegoś rozwiązania problemu, przystali na propozycję naukowców i zakazali połowów na siedmiu tysiącach hektarów. W 1995 roku ustanowiono tam park narodowy, a zdaniem mieszkańców tych okolic kolejne lata były wyjątkowo ciężkie. Rybacy wracali z pustymi rękoma i musieli wyżywić rodziny z pomocą specjalnych voucherów od rządu. Widok coraz liczniejszych ławic na terenie parku kusił do złamania zakazu, ale cała społeczność ufała biologom i trzymała się wcześniejszych ustaleń. Mniej więcej po dziesięciu latach do Cabo Pulo wróciły rekiny. Najstarsi rybacy pamiętali je z dzieciństwa i wiedzieli, że to dobry znak.

Wystarczyło piętnaście lat, by populacja zwierząt morskich wzrosła o czterysta procent, osiągając poziom zbliżony do liczebności ryb zamieszkujących rafy, na których nigdy nie prowadzono połowów. Ławice zaczęły się rozlewać na sąsiednie wody. Połowy stały się obfitsze niż kiedykolwiek w ostatnich dziesięcioleciach, a w dodatku okolice zaczęły przyciągać turystów. Mieszkańcy Cabo Pulmo zdobyli nowe źródło dochodu — prowadzą szkoły nurkowania, pensjonaty i restauracje[13].

Tworzenie morskich obszarów chronionych sprawdza się, ponieważ powstrzymuje nas przed czymś, do czego w ogóle nie powinniśmy byli dopuścić — przed niszczeniem najcenniejszych zasobów rybnych, które stanowią kapitał oceanów. Ustanawiając strefy objęte zakazem połowów na terenach działalności rybackiej, zmuszamy się do życia z odsetek. Każdy specjalista od finansów potwierdzi, że to rozsądne podejście. Co więcej, ponieważ dzięki strefom wolnym od połowów wzrasta populacja wszystkich gatunków ryb, kapitał się powiększa, dzięki czemu rosną też nasze odsetki — liczba ryb w sieciach. Połowy stają się też łatwiejsze, kutry spalają więc mniej paliwa, maleje przypadkowy

---

[13] Smithsonian Institution opracowało szczegółowy raport na temat sukcesu parku narodowego Cabo Pulmo. Można się z niego dowiedzieć, jak ważne jest zaangażowanie mieszkańców w programy ochrony środowiska. Więcej zob. https://ocean.si.edu/conservation/solutions-success-stories/cabo-pulmo-protected-area.

przyłów, a rybacy mogą pozwolić sobie na pozostanie w domu przy złej pogodzie. Dobrze zaprojektowane i właściwie zarządzane morskie obszary chronione są przepustką do nowej, zdrowej relacji z oceanem. Szacuje się, że wystarczyłoby objąć ochroną jedną trzecią powierzchni oceanów — populacja ryb wzrosłaby na tyle, że moglibyśmy z niej bezpiecznie korzystać przez lata.

Najlepiej ustanawiać obszary chronione tam, gdzie zwierzętom morskim najłatwiej jest się rozmnażać. Rafy, podwodne góry, lasy wodorostów, morskie łąki i słone błota są niczym oceaniczne żłobki. Powinniśmy zostawić je w spokoju i łowić w otaczających je wodach. Nieprzypadkowo właśnie te tereny najskuteczniej sekwestrują dwutlenek węgla. W tej chwili, choć bardzo uszczuplone, słone bagna, lasy namorzynowe i morskie łąki usuwają z powietrza mniej więcej połowę dwutlenku węgla, który emitujemy w wyniku działalności transportowej[14]. Jeśli obejmiemy je ochroną, zaczną usuwać jeszcze więcej.

Ważny jest również sposób połowu. W tej chwili za często stosowane jest tzw. trałowanie denne, w wyniku

---

[14] Więcej na temat efektywności przybrzeżnych ekosystemów w procesie sekwestracji dwutlenku węgla i o próbach przywrócenia lasów namorzynowych, słonych bagien i morskich łąk zob. https://www.thebluecarboninitiative.org. Szczegółowe dane na temat projektowania morskich obszarów chronionych można znaleźć w interesującym tekście z Australii: https://ecology.uq.edu.au/filething/get/39100/Scientific_Principles_MPAs_c6.pdf.

którego w sieci łapią się gatunki niebędące celem połowu. Powinniśmy udoskonalić tę technikę, robiąc w sieciach otwory, przez które mogłyby się przedostać przypadkowo złowione gatunki. Duże ryby drapieżne, takie jak tuńczyki, powinny być chwytane metodą połowów haczykowych na wędy. Należy zakazać pogłębiania dna morskiego. Musimy stale monitorować stan zasobów rybnych i ograniczać połowy, aby nie naruszać równowagi populacji[15]. Do śledzenia drogi, którą ryba przebywa z portu na talerz, powinniśmy stosować nową technologię *blockchain*. Dzięki temu będziemy mieć pewność, skąd pochodzą spożywane przez nas gatunki, co pomoże nam w wyborze firm działających zgodnie z zasadami zrównoważonego rybołówstwa.

Celem powinna być możliwość nieskończonego prowadzenia połowów, a nie szybki zysk. Dzikie ryby są wspólnym zasobem, z którego czerpią wszyscy, zwłaszcza miliard ludzi, w większości żyjących w biedzie, dla których stanowią one główne źródło białka. Tradycja zabierania tylko tego, co jest potrzebne, a nie tego, co uda się zdobyć, jest szczególnie silna w Palau — wyspiarskim państwie na Pacyfiku. Ludzie zamieszkują

---

[15] Zrównoważone rybołówstwo wymaga oceny liczebności populacji ryb i monitorowania aktywności kutrów rybackich, ale specyfika środowiska morskiego zdecydowanie utrudnia te czynności. Certyfikaty zrównoważonego rybołówstwa są na to jakimś sposobem, niestety, ich stosowanie nie rozwiązuje wszystkich problemów.

te odseparowane od reszty świata setkami mil głębokiej wody wyspy od czterech tysięcy lat, a stabilność zasobów ryb była i jest ich podstawowym zmartwieniem. Starsi mieszkańcy uważnie śledzili połowy na rafach, a zauważywszy, że liczba ryb danego gatunku spada, natychmiast reagowali. Stosowali zasadę znaną jako *bul*, czyli zakaz, z dnia na dzień obejmując dane partie rafy całkowitym zakazem łowienia, który obowiązywał, dopóki w okolicznych wodach ponownie nie zaroiło się od ryb.

Ta wielowiekowa tradycja obowiązuje do dzisiaj i stanowi podstawę rybołówstwa w Palau. Tommy Remengesau jun., po raz czwarty już sprawujący urząd prezydenta kraju, sam określa się mianem rybaka, który wziął chwilowy urlop, by zająć się polityką. Za jego rządów nastał wyż demograficzny, na wyspy zaczęli przybywać turyści, a na wodach Palau pojawiły się komercyjne floty rybackie z Japonii, Filipin i Indonezji. Kiedy ocean znalazł się pod zbyt dużą presją, Remengesau poszedł w ślady przodków i zakazał połowów. Niektóre rafy objął całkowitą ochroną, na innych zaś znacząco ograniczył ludzką działalność. Ustanawiał też okresy ochronne, co umożliwiało zagrożonym gatunkom spokojne tarło. Największe wrażenie robi jednak jego decyzja dotycząca ochrony otwartych wód wokół wyspy. Ogłosił, że Palau nie ma obowiązku eksportować ryb. Rybacy powinni łowić tylko tyle ryb, ile są w stanie zjeść mieszkańcy i turyści. Innymi słowy, wrócił do rybołówstwa tylko na własne potrzeby. Drastycznie ograniczył liczbę licencji komercyjnych i objął cztery piąte wód terytorialnych Palau — obszar wielkości Francji — całkowitą ochroną. Niewielka liczba kutrów, łowiących na pozostałym obszarze, wystarczy, by zaopatrzyć wyspiarzy i turystów w tuńczyki. Remengesau jest dumny z tego, że dzięki efektowi rozlania mieszkańcy Palau oferują sąsiadom prezent w postaci wiecznie się odnawiających zasobów ryb.

Mamy możliwość skorzystać z tych doświadczeń i wprowadzić je na większym obszarze — obejmującym dwie trzecie oceanów, czyli połowę całkowitej powierzchni Ziemi. Wody międzynarodowe nie należą do nikogo. Wszystkie kraje mogą z nich korzystać, łowiąc tyle, ile chcą. Rodzi to problemy. Kilka państw zdecydowało się dotować swoje floty miliardami dolarów. Dofinansowani w ten sposób rybacy prowadzą połowy nawet wtedy, kiedy ryb jest za mało, by było to opłacalne. W rezultacie środki państwowe są używane do całkowitego opróżniania oceanów. Najwięcej na sumieniu mają Chiny, Unia Europejska, Stany Zjednoczone, Korea Południowa i Japonia. Wszystkie je stać na to, by położyć temu kres. Pojawił się promyk nadziei. W chwili gdy piszę te słowa, Organizacja Narodów Zjednoczonych i Światowa Organizacja Handlu opracowują zestaw nowych przepisów[16]. Zamierzają

---

[16] Konwencja Narodów Zjednoczonych o Prawie Morza to podstawowy dokument prawny regulujący korzystanie z wód międzynarodowych.

położyć kres dotowaniu połowów i dać przełowionym populacjom czas na zregenerowanie się. Oczywiste jest jednak, że moglibyśmy zrobić dużo więcej. Obejmując zakazem połowów wszystkie wody międzynarodowe, zmienilibyśmy całkowicie oblicze oceanów. Wyniszczone bezustanną eksploatacją wody mogłyby zacząć znowu tętnić życiem, dzięki czemu ryby zaczęłyby się pojawiać także w strefie przybrzeżnej. Skorzystalibyśmy na tym wszyscy, a wzrost bioróżnorodności wspomógłby w wychwytywaniu dwutlenku węgla. Otwarte wody zostałyby największym rezerwatem dzikiej przyrody na świecie, nie należałyby do nikogo, ale wszyscy by o nie dbali.

Niestety, jest już za późno, byśmy mogli na tym poprzestać. Dziewięćdziesiąt procent populacji ryb jest albo przeławiane, albo połowy są prowadzone na granicy bezpieczeństwa. Świadczą o tym dane dotyczące rybołówstwa. W połowie lat dziewięćdziesiątych dwudziestego wieku, czyli wtedy, kiedy kręciliśmy *Błękitną planetę*, osiągnięty został s z c z y t p o ł o w ó w. Od tego czasu nie jesteśmy w stanie wyłowić więcej niż jakieś osiemdziesiąt cztery miliony ton rocznie. Oczywiście, popyt na nie rośnie, ponieważ zwiększa

Po raz pierwszy od dziesięcioleci prowadzone są prace nad zmianą zawartych w niej przepisów, a wiele zaangażowanych osób walczy o to, by podstawą nowych regulacji był zrównoważony rozwój. Jeśli uda im się przeforsować odpowiednie zapisy, stosunek ludzi do oceanu może ulec całkowitej transformacji. Więcej zob. https://www. un.org/bbnj.

się liczba ludności i przeciętny dochód. W jaki sposób zaspokajamy to zapotrzebowanie? Rozwijając a k w a - k u l t u r ę, czyli hodując ryby. Od lat dziewięćdziesiątych liczba farm rybnych ciągle rośnie. W 1995 roku jedenaście milionów ton owoców morza pochodziło z hodowli. Dzisiaj są to już osiemdziesiąt dwa miliony ton[17]. W wyniku hodowli pozyskujemy właściwie tyle samo ryb, ile łowimy.

Teoretycznie moglibyśmy w ten sposób ograniczyć globalne zapotrzebowanie na dzikie owoce morza, ponieważ jednak stawiamy na pierwszym miejscu zysk, nasza akwakultura szkodzi środowisku. Aby przygotować teren pod farmy, niszczymy przybrzeżne ekosystemy, takie jak lasy namorzynowe i podwodne łąki. Hodowane gatunki — przede wszystkim ryby, krewetki i małże — są stłoczone na niewielkiej powierzchni, przez co chorują, farmerzy stosują więc antybiotyki i środki dezynfekcyjne, które przedostają się do okolicznych wód, zresztą razem z wywołującymi chorobę organizmami. Ryby drapieżne, takie jak łososie, karmi się setkami tysięcy ton drobnych zwierząt odławianych z oceanu. Jest to równie szkodliwe dla ekosystemu jak przeławianie. Produktem ubocznym akwakultury są

---

[17] Dane dotyczące połowów i akwakultury można znaleźć w raportach Organizacji Narodów Zjednoczonych do spraw Wyżywienia i Rolnictwa. Noszą one tytuł *State of World Fisheries and Aquaculture*. Raport z 2020 roku można znaleźć tutaj: http://www.fao.org/state-of-fisheries-aquaculture.

ogromne ilości odchodów, które zanieczyszczają sąsiadujące z farmami wody. W 2007 roku chińskie farmy krewetkowe wyprodukowały czterdzieści trzy miliardy ton odchodów. Jest ich tak dużo, że wody przybrzeżne są przenawożone, co prowadzi do masowych wykwitów alg i obniżenia zawartości tlenu. Niektóre farmy są zalane toksynami przynoszonymi przez rzeki, od czasu do czasu pojawia się więc groźba zatruć pokarmowych. Hodowanie obcych gatunków jest ryzykowne, gdyż uciekające z farm zwierzęta zaburzają delikatne ekosystemy.

Trzeba przyznać, że niektórzy producenci starają się zapobiegać tym problemom[18]. Wytyczają drogę, którą możemy wkrótce podążyć. Rozmieszczają zagrody daleko od siebie, żeby złagodzić ich wpływ na środowisko. Zakładając farmy daleko od brzegu, korzystają z dobroczynnego wpływu prądów morskich. Zapobiegają chorobom, zmniejszając zagęszczenie ryb i szczepiąc je. Dzięki temu antybiotyki nie przedostają się do wody. Ryby drapieżne są karmione olejami ze zbóż uprawnych i białkiem z owadów — w przybrzeżnych miastach powstają hodowle much żywionych odpadkami. Zrównoważone farmy rybne są wielopiętrowe. Pod zagrodami z rybami wiszą klatki z popularnymi

---

[18] Rada Zarządzania Akwakulturą (ASC) wydaje certyfikaty firmom prowadzącym odpowiedzialną działalność. Warto szukać ich zielonego logo na takich produktach jak łosoś i małże pochodzące z hodowli. Więcej zob. https://www.asc-aqua.org.

w kuchni azjatyckiej strzykwami i jeżowcami, które żywią się opadającymi na nie odchodami ryb. Wokół zagród rozciąga się liny pokryte małżami i pęki jadalnych wodorostów, które również odnoszą korzyść z nawozów roznoszonych przez prąd morski.

Te zrównoważone metody produkcji pożywienia z ograniczeniem szkód dla środowiska są wielką szansą dla mieszkańców terenów nadmorskich, którzy mogą czerpać z nich zyski. Być może w niedalekiej przyszłości we wszystkich wodach przybrzeżnych powstaną farmy*.

Niewykluczone, że dołączą do nich hodowcy lasów wodorostów. Najszybciej rosną brunatnice, ich szerokie, brązowe plechy potrafią wydłużyć się o pół metra w ciągu jednego dnia. Świetnie się czują w chłodnych, zasobnych w składniki pokarmowe wodach przybrzeżnych. Tworzą rozległe lasy podwodne, będące ostojami bioróżnorodności. Pływanie w takim lesie, wśród olbrzymich, skórzastych pasm, jest niezwykłym doświadczeniem. Wodorosty omiatają maskę i nigdy nie wiadomo, co się za chwilę pojawi! Jeżowce żywią się brunatnicami, a w miejscach, z których — za naszą sprawą — zniknęły wydry morskie, jeżowców jest tak wiele, że są w stanie zjeść cały las. Możemy jednak przywrócić ten ekosystem, odnosząc przy tym

---

* To rozwiązanie możliwe do zrealizowania tylko w niektórych miejscach. Znaczna część morskich ekosystemów przybrzeżnych też wymaga ochrony (przyp. konsultanta wyd. polskiego).

znaczącą korzyść. Jest on schronieniem dla bezkręgowców i ryb, a glony pochłaniają ogromne ilości dwutlenku węgla. Z badań wynika, że tona wysuszonych wodorostów zawiera ekwiwalent tony dwutlenku węgla. Moglibyśmy używać wodorostów do produkcji bioenergii. W przeciwieństwie do upraw lądowych podwodne lasy nie zabierają nam przestrzeni życiowej. Wykorzystując wodorosty w procesie sekwestracji dwutlenku węgla, wkraczamy na całkiem nowe terytorium. Możemy produkować energię, a przy tym usuwać gazy cieplarniane z atmosfery[19]. Wodorosty mogą być także wykorzystywane jako składnik ludzkiej diety albo pasza dla zwierząt hodowlanych i ryb. Są też źródłem cennych mikro- i makroelementów. Liczne zespoły naukowców zgłębiają obecnie temat uprawy wodorostów na dużą skalę, wkrótce powinniśmy się więc dowiedzieć, czy jest to wykonalna i sensowna opcja. Nie ma za to wątpliwości co do tego, że jeśli przestaniemy nadmiernie eksploatować oceany, a zaczniemy z nich korzystać z rozwagą, pozwalając,

[19] Prowadzone są intensywne badania nad technologią BECCS (spalanie biomasy w połączeniu z sekwestracją dwutlenku węgla). Polega ona na połączeniu dwóch czynności — wychwytywania i składowania dwutlenku węgla przy jednoczesnym generowaniu energii z biomasy. Gdyby okazało się to wykonalne, zmniejszyłby się wpływ roślin uprawianych na biopaliwa na środowisko. W tej chwili konkurują one z innymi uprawami, a także z dziką przyrodą o miejsce. Dodatkową korzyścią z uprawy lasów wodorostów jest fakt, że są one bardzo zróżnicowane pod względem biologicznym, a w dodatku szybko przyrastają.

by ich przyroda odżyła, przyczynimy się do wzrostu bioróżnorodności i ustabilizowania naszej planety. W dodatku stanie się to dużo szybciej i na dużo szerszą skalę, niż marzymy. Aby do tego doprowadzić, musimy zadbać o parę spraw: ulepszyć gospodarkę rybną, stworzyć sieć morskich obszarów chronionych, wspierać lokalne społeczności, które chcą korzystać z wód przybrzeżnych w sposób zrównoważony, i wreszcie odtworzyć lasy namorzynowe, podwodne łąki, słone bagna i lasy wodorostów.

NIE POTRZEBUJEMY TYLE PRZESTRZENI

Zamiana terenów dzikich w uprawne wraz z ekspansją ludzkości podczas holocenu to najważniejszy czynnik bezpośrednio wpływający na spadek bioróżnorodności. Największa zmiana dokonała się całkiem niedawno. W 1700 roku uprawiano mniej więcej miliard hektarów. Dzisiaj jest to już pięć miliardów, czyli tyle, ile wynosi łączna powierzchnia obu Ameryk i Australii[20]. Zawłaszczamy dla siebie ponad połowę nadającej się

---

[20] W prezentacji przygotowanej przez Our World in Data można znaleźć bardzo obrazowe przedstawienie tego, w jaki sposób ludzie wykorzystują powierzchnię planety, zob. https://ourworldindata. org/land-use.

do zamieszkania powierzchni planety. Aby zdobyć te cztery miliardy hektarów w ciągu zaledwie trzech stuleci, wycięliśmy lasy w tropikach i w strefie umiarkowanej, wykarczowaliśmy zagajniki, osuszyliśmy bagna i ogrodziliśmy łąki. Niszcząc siedliska, doprowadziliśmy do spadku bioróżnorodności, a także przyczyniliśmy się do wzrostu zawartości gazów cieplarnianych w atmosferze. Rośliny lądowe i gleba zawierają od dwóch do trzech razy więcej związków węgla niż powietrze[21]. Wskutek wycinki drzew, wypalania lasów, osuszania terenów podmokłych i koszenia traw uwolniliśmy już dwie trzecie tych zasobów. Drogo płacimy za odbieranie przyrodzie kolejnych terenów.

Nawet istniejące od dawna pola uprawne nie są zamiennikiem dla dzikiej przyrody. Łatwo o tym zapomnieć — gdy patrzymy na nie, możemy sądzić, że to naturalny krajobraz, ale tak nie jest. Ziemia, na której coś się uprawia, i dzikie ekosystemy funkcjonują zupełnie inaczej. Miejsca nieprzekształcone przez człowieka przez wieki ulegały ewolucji i stały się samowystarczalne. Rośliny w takim siedlisku współpracują ze sobą, magazynując cenne zasoby — wodę, węgiel, azot, fosfor, potas i inne. Są w stanie funkcjonować i gromadzić zapasy na przyszłość. Z biegiem czasu zaczynają

---

[21] Specjalny raport IPCC *Special Report on Climate Change and Land* (z poprawkami z 2020 roku) zawiera fascynujące informacje na temat wpływu gospodarowania gruntami na klimat (https://www.ipcc.ch/srccl/chapter/summary-for-policymakers).

wchłaniać związki węgla, stają się coraz bardziej złożone, zróżnicowane biologicznie, gleba zaś wzbogaca się w materię organiczną.

Współczesne pola uprawne funkcjonują na innych zasadach. To my je utrzymujemy. Dostarczamy im tego, czego — naszym zdaniem — potrzebują, i zabieramy to, co uznajemy za zbędne. Gdy gleba ubożeje, karmimy ją nawozami. Zdarza nam się przesadzić, a wtedy staje się toksyczna dla żyjących w niej mikroorganizmów. W czasie suszy dostarczamy wodę, zaburzając równowagę wodną w naturalnych ekosystemach. Rośliny, których nie potrzebujemy, niszczymy herbicydami. Jeśli owady wpływają na plon, pozbywamy się ich za pomocą pestycydów. Często pod koniec sezonu wegetacyjnego usuwamy wszystkie rośliny i przekopujemy glebę, wystawiając ją na działanie słońca i wiatru, uszczuplając zgromadzone w niej zapasy związków węgla. Latami wypasamy zwierzęta na tych samych łąkach, aż wreszcie trawa nie jest w stanie się odradzać. Nawożąc tereny rolnicze nawozami mineralnymi, niszczymy organizmy i ekosystemy glebowe, co prowadzi do zubożenia składu gleb i utraty zawartej w nich materii organicznej[22].

[22] Wciąż jeszcze nie wiemy wielu rzeczy na temat sposobu funkcjonowania gleb. Zdrowa gleba zawiera wiele mikroorganizmów i bezkręgowców, które oddziałują na siebie nawzajem, a także na rośliny na wiele różnych, często skomplikowanych sposobów. Staje się jasne, że wysoki poziom bioróżnorodności gleby jest kluczowy dla utrzymania w niej najważniejszych pierwiastków, wpływa na jej

Łagodne wzgórza pokryte polami, winnicami i sadami tworzą uroklwy krajobraz, ale są jałowe w porównaniu z dzikimi siedliskami, które istniały w tych miejscach przedtem. Prawdę mówiąc, nie ma co liczyć na to, że uda nam się położyć kres spadkowi bioróżnorodności i przywrócić Ziemi równowagę, jeśli nie położymy kresu ciągłemu zawłaszczaniu gruntów pod uprawy i hodowlę zwierząt. Jeśli chcemy poprawić stan dzikiej przyrody, powinniśmy wręcz zacząć oddawać jej kolejne obszary, ograniczając działalność rolniczą. W jaki sposób mielibyśmy to osiągnąć? Musimy przecież jeść, a wraz ze wzrostem populacji i poprawą standardów życia nasze potrzeby w tym zakresie będą rosły. Bez wątpienia należy ograniczyć marnowanie żywności, co zostanie zresztą omówione w dalszej części książki, ale eksperci są zgodni co do tego, że tak czy inaczej w najbliższych czterdziestu latach będziemy musieli wyprodukować więcej

ogólną kondycję, wzrost roślin i pomaga zatrzymać dwutlenek węgla. Więcej zob. P.R. Hirsch, *Soil microorganisms: role in soil health*, w: *Managing Soil Health for Sustainable Agriculture*, t. 1: *Fundamentals*, red. D. Reicosky, Cambridge 2018, s. 169–196. Dobry przegląd sposobów wytwarzania żywności i tego, co musi się zmienić, można znaleźć w raporcie Food and Land Use Coalition, który „pokazuje, w jaki sposób do 2030 roku to, jak produkujemy żywność i gospodarujemy gruntami, może się przyczynić do utrzymania w ryzach zmian klimatycznych, zadbać o bioróżnorodność, poprawić naszą dietę, a także dostęp do żywności, tym samym umożliwiając rozwój bardziej inkluzywnej gospodarki wiejskiej" (Food and Land Use Coalition, *Growing Better: Ten Critical Transitions to Transform Food and Land Use*, https://www.foodandlandusecoalition.org/wp-content/uploads/2019/09/FOLU-GrowingBetter-GlobalReport.pdf).

pożywienia niż w ciągu całej historii ludzkości. Kluczowa wydaje się więc odpowiedź na pytanie: jak zdobyć więcej jedzenia, wykorzystując mniejszą powierzchnię.

Mało kto może udzielić tak dobrej odpowiedzi, jak grupa holenderskich rolników. Holandia to jeden z najgęściej zaludnionych krajów. Jej niewielką powierzchnię pokrywa sieć gospodarstw, które są mniejsze niż w innych krajach wysoko rozwiniętych. Nie mają się zresztą jak powiększać. W tej sytuacji holenderscy rolnicy nauczyli się czerpać jak najwięcej z każdego hektara. Środowisko bardzo na tym ucierpiało, ale historie niektórych rodzin i zmian, które wprowadzano przez ostatnie osiemdziesiąt lat, mogą stać się prawdziwą inspiracją.

W latach pięćdziesiątych dwudziestego wieku holenderskie rodziny, wciąż zmagające się z traumą drugiej wojny światowej, marzyły o niezależności i uprawie własnego jedzenia. Przeciętne gospodarstwo dysponowało raczej skromnymi zasobami — hodowano kilka zwierząt, uprawiano odrobinę zbóż i warzyw. W latach siedemdziesiątych, wraz ze zmianą pokolenia, farmy zaczęły się uprzemysławiać. Rolnicy zaczęli korzystać z coraz szerzej dostępnych produktów — nawozów, szklarni, maszyn, pestycydów i herbicydów. Poszczególne gospodarstwa zaczęły się specjalizować w jednym lub dwóch produktach, co pomogło im zmaksymalizować plony. Uzależniły się jednak od ropy i chemikaliów. Ta część historii mogłaby równie dobrze dotyczyć innych krajów. Znacząco pogorszyła

się jakość wody, spadła bioróżnorodność, a środowisko uległo deterioracji. Jednak pod koniec stulecia pieczę nad farmami przejęło kolejne pokolenie. Niektórzy z jego przedstawicieli postawili sobie nowy cel. Chcieli zwiększać plony, zmniejszając jednocześnie wpływ rolnictwa na przyrodę. Zaczęli stawiać turbiny wiatrowe i zakładać pompy ciepła, by ogrzewać szklarnie energią odnawialną. Zainstalowali zautomatyzowane systemy kontroli temperatury, dzięki czemu ograniczyli marnowanie wody i prądu. Nauczyli się zbierać deszczówkę z dachów swoich szklarni. Zamiast sadzić rośliny w ziemi, używali rynien z bogatą w składniki odżywcze wodą, minimalizując nakład pracy i ograniczając straty. Zrezygnowali z pestycydów, stawiając na kontrolowane wykorzystanie naturalnych drapieżników, zapewniając tym samym bezpieczeństwo pszczołom z przydomowych uli. Wprowadzili dokładne pomiary wilgotności i składu gleby na polach uprawnych, dbając o jej dobrostan. Nauczyli się produkować własny nawóz i sprzedawać żywność w opakowaniach wytworzonych z liści i łodyg, które zostały po zbiorach.

Innowacyjni, stosujący się do zasad zrównoważonego rozwoju rolnicy z Holandii zbierają obfite plony, minimalizując przy tym swój wpływ na środowisko*.

---

* Niestety ta romantyczna wizja rolnictwa Holandii jest nie do końca zgodna z prawdą. Znaczna część najbardziej zyskownej produkcji rolnej Holandii to kwiaty i rośliny ozdobne. W przypadku żywności to Holandia jest importerem wartości odżywczych netto, zob. https://thecorrespondent.

Gdyby wszyscy producenci żywności w Holandii i w innych krajach poszli w ich ślady, moglibyśmy wytwarzać więcej żywności przy wykorzystaniu znacznie mniejszej przestrzeni[23]. Nowoczesne metody są jednak kosztowne. Mogą stanowić inspirację dla dużych koncernów spożywczych, do których należy większość ziemi uprawnej na świecie, ale nie pomogą niewielkim gospodarstwom, które ledwie wiążą koniec z końcem. Istnieją jednak efektywne i nowoczesne sposoby uzyskania lepszych plonów przy jednoczesnej obniżce kosztów środowiskowych, które są dostępne także dla drobnych rolników. Rolnictwo regeneracyjne to niedrogi sposób na poprawienie struktury wyniszczonej gleby. Polega ono na wzbogaceniu wierzchniej warstwy w zasobną w związki węgla materię organiczną[24]. Rolnicy, którzy praktykują tę metodę, rezygnują

com/781/dear-david-attenborough-beautiful-netflix-documentary--but-your-solutions-destroy-nature-even-more/52432608382-481 ff02e?fbclid=IwAR25UZaB-pV4XLigO-xiShjP52dLGE02GDjqFPh-KjQWUvN5wSYXUvWOJLWo (przyp. konsultanta wyd. polskiego).

[23] Wageningen University w Holandii to główny ośrodek zajmujący się nowoczesnym podejściem do zrównoważonego rolnictwa. Wiele z metod proponowanych przez badaczy z tego ośrodka zostało wypróbowanych przez holenderskich rolników. Więcej zob. https://weblog.wur.eu/spotlight.

[24] Dwa główne źródła informacji dotyczących rolnictwa regeneracyjnego to Regeneration International (https://regenerationinternational.org) oraz P.J. Burgess, J. Harris, A.R. Graves, L.K. Deeks, *Regenerative Agriculture: Identifying the Impact; Enabling the Potential*, „Report for SYSTEMIQ", 17 maja 2019, Cranfield University, https://www.foodandlandusecoalition.org/wp-content/uploads/2019/09/Regenerative-Agriculture-final.pdf.

z przekopywania ziemi, ponieważ wystawia ją to na działanie czynników zewnętrznych i uwalnia węgiel do atmosfery. Stopniowo ograniczają stosowanie nawozów sztucznych, ponieważ wpływają one negatywnie na bioróżnorodność gleby i jej funkcjonowanie. Stosują poplony, czyli rośliny siane po zbiorach, które przykrywają glebę, chroniąc ją od promieni słonecznych i opadów, a także dostarczają składniki pokarmowe w głąb ziemi. Stosują płodozmian — wymieniają co roku gatunki uprawiane na każdym polu, tak że żaden nie powtarza się nawet przez dziesięć lat. Każdy ma inne wymagania i czerpie inne składniki odżywcze, więc gleba zachowuje żyzność. Zmianowanie upraw pomaga w zwalczeniu szkodników, można więc ograniczyć stosowanie pestycydów. Rolnictwo regeneracyjne zaleca też międzyplony lub uprawę towarzyszącą, czyli sianie rzędów różnych roślin obok siebie. Zapobiega to wyjaławianiu gleby, a nawet ją wzbogaca*. Stosowanie tych technik może użyźnić zdegradowane pola, całkowicie redukując konieczność stosowania nawozów sztucznych i wspomagając wychwytywanie dwutlenku węgla z powietrza. Na całym świecie leży odłogiem mniej więcej pół miliarda hektarów, które

---

* Jeszcze dalej idącym rozwiązaniem korzystnym dla bioróżnorodności i klimatu są tzw. permakultury, zob. I. Fiebrig, S. Zikeli, S. Bach i in., *Perspectives on permaculture for commercial farming: aspirations and realities*, „Organic Agriculture" 2020, t. 10, s. 379–394, https://doi.org/10.1007/s13165-020-00281-8 (przyp. konsultanta wyd. polskiego).

zostały wyjałowione i porzucone. Większość znajduje się w uboższych państwach. Dzięki rolnictwu regeneracyjnemu możliwa jest ich regeneracja, a w rezultacie wychwycenie dwudziestu miliardów ton węgla.

Żywność uprawia się nie tylko na polach. Coraz częściej wykorzystujemy w tym celu przestrzeń, która ma inne przeznaczenie. Ogrodnictwo miejskie polega na komercyjnej uprawie warzyw i owoców w obrębie miast. Rośliny sieje się na dachach, w opuszczonych budynkach, pod ziemią, na parapetach biurowców, na zewnętrznych ścianach budynków, w kontenerach na terenach poprzemysłowych, a nawet nad parkingami, zapewniając przy okazji cień. Miejscy ogrodnicy często korzystają z energooszczędnego oświetlenia, systemów kontroli temperatury i hydroponiki, dbając o jak najlepsze warunki rozwoju roślin przy ograniczonym zużyciu wody, gleby i składników odżywczych. Ich zaletą jest nie tylko wykorzystanie marnującej się przestrzeni, ale także bliskość do klienta, co pozwala na obniżenie emisji związanej z transportem.

Jednym z rodzajów miejskiego ogrodnictwa, możliwym do zastosowania na szeroką skalę, jest u p r a w a w e r t y k a l n a, która polega na tym, że kolejne warstwy roślin (często są to różne odmiany sałat) sadzi się jedna nad drugą, oświetla LED-ami zasilanymi energią odnawialną i odżywia przez system rurek. Ogrody wertykalne są kosztowne, ale mają wiele zalet. Pozwalają zebrać dwudziestokrotnie większy plon z jednego

hektara. Są środowiskiem zamkniętym, niepodatnym na zmiany pogodowe. Nie wymagają używania pestycydów i herbicydów. Już teraz korzysta z nich sporo firm, które dostarczają nisko objętościowe, ale za to bardzo zdrowe produkty, takie jak liście różnych sałat, klientom w pobliskich miastach.

———

Wszystkie te innowacje mogą doprowadzić do wyższych plonów w skali światowej, przy jednoczesnym obniżeniu emisji CO_2. Niestety, to nie wystarczy, nawet jeśli ograniczymy również marnotrawstwo żywności. Jeśli Ziemia ma utrzymać od dziewięciu do jedenastu miliardów ludzi, musimy zmienić także to, co zjadamy. Wkrótce rodzaj pożywienia stanie się ważniejszy od jego ilości. Po raz kolejny można to wytłumaczyć na przykładzie zjawiska przyrodniczego.

Na wielkich równinach afrykańskich pasą się stada gazelopek sawannowych. Przez większą część dnia jedzą trawę. W tym celu muszą zużyć energię na odszukanie najlepszych źdźbeł, a także odgryzienie i przeżucie twardszych, zewnętrznych części, aby dostać się do pożywnego środka. Zjadają tylko części naziemne. Energia jest też potrzebna na strawienie trawy. Zostaje przy tym sporo błonnika, który jest wydalany z odchodami. Podobnie jak inni roślinożercy, gazelopki nie są w stanie zużyć całej energii z roślin, które zjadają, a które wytworzyły ją ze światła słonecznego. System nie jest wydajny, część energii ucieka. To dlatego krowy i antylopy spędzają tak dużo czasu na jedzeniu.

Straty energii występują też między innymi ogniwami łańcucha pokarmowego, na przykład między roślinożercami i mięsożercami. Jedyne drapieżniki, które są na tyle szybkie, by schwytać gazelopkę sawannową w biegu, to gepardy. Przez wiele godzin dziennie szukają odpowiedniej sposobności, a nawet jeśli uda im się ruszyć w pościg, najprawdopodobniej zakończy się on niepowodzeniem. Po udanym polowaniu są w stanie przyswoić tylko niewielką część energii, którą gazelopka przechwyciła z trawy. Większość zużyła na poszukiwanie roślin, interakcje z innymi członkami stada, a także czujne obserwowanie otoczenia i unikanie gepardów. Co więcej, drapieżniki zazwyczaj zjadają tylko mięso, nie korzystają więc z energii zmagazynowanej w kościach, ścięgnach, skórze i sierści.

Ta strata energii między niższymi a wyższymi ogniwami łańcucha pokarmowego wyjaśnia liczebność zwierząt należących do różnych poziomów troficznych. Na każdego drapieżnika w Serengeti przypada ponad setka potencjalnych ofiar. Świat przyrody jest zorganizowany w taki sposób, że większych drapieżników nie może być zbyt dużo.

My, ludzie, nie należymy ani do roślinożerców, ani do mięsożerców. Jesteśmy wszystkożerni, a nasza budowa umożliwia nam trawienie pokarmu zwierzęcego i roślinnego. Jednak w miarę bogacenia się mamy tendencję do zmieniania diety. Osoby bardziej zamożne jedzą więcej mięsa, napędzając naszą naruszającą równowagę ekologiczną potrzebę zagarniania kolejnych gruntów. W mojej młodości jedzenie było dość drogie. Nasze posiłki były więc mniej obfite i na pewno jedliśmy mniej mięsa. Traktowaliśmy je jako smakołyk na specjalne okazje. Dopiero niedawno weszło do powszechnego spożycia, ponieważ społeczeństwo się wzbogaciło. Produkcja mięsa stała się przemysłem, a ceny spadły. Nie wszyscy spożywają go tyle samo, zresztą podobnie jest z konsumpcją innych produktów. Przeciętny Amerykanin zjada ponad sto dwadzieścia kilogramów mięsa rocznie. Europejczycy spożywają od sześćdziesięciu do osiemdziesięciu kilo. Na Kenijczyków przypada tylko szesnaście kilogramów na rok, przeciętny zaś obywatel Indii — kraju, w którym wegetarianizm jest popularny ze względu na przekonania religijne — je mniej niż cztery kilogramy[25].

Do wytworzenia jednego kotleta potrzebny jest ogromny teren. Prawie osiemdziesiąt procent światowej powierzchni uprawnej jest wykorzystywane

[25] Na stronie https://ourworldindata.org/agricultural-land-by-global-diets znajdziemy informacje na temat powierzchni gruntów niezbędnych do wykarmienia całej ludzkości w przeliczeniu na przeciętną dietę mieszkańców danego kraju. Dane na temat globalnej konsumpcji mięsa można znaleźć pod adresem https://ourworldindata.org/meat-production#which-countries-eat-the-most-meat.

do produkcji mięsa i nabiału. Konkretnie są to cztery z pięciu miliardów hektarów, czyli tyle, ile wynosi łączna powierzchnia obu Ameryk. Co ciekawe, na większej części tych gruntów nie spotkamy zwierząt hodowlanych. Uprawia się na nich soję, która w wielu krajach wykorzystywana jest tylko na paszę dla bydła, kurczaków i świń. Trudno więc obliczyć, ile dokładnie przestrzeni potrzebują same zwierzęta. Mieszkańcy zamożnych krajów mogą kupić mięso wyprodukowane lokalnie, ale tak czy inaczej pochodzi ono prawdopodobnie od zwierząt karmionych paszą wytworzoną w tropikach, w krajach, które wycinają lasy deszczowe i karczują łąki pod plantacje. To właśnie tam powstaje najwięcej nowych terenów uprawnych, a główną tego przyczyną jest rosnący apetyt na mięso.

Najbardziej szkodliwa jest produkcja wołowiny. Jej konsumpcja to mniej więcej jedna czwarta całego spożycia mięsa na świecie. Globalnie, mięso wołowe dostarcza nam tylko dwóch procent kalorii, ale na wytworzenie go przeznaczamy sześćdziesiąt procent wszystkich gruntów uprawnych, piętnaście razy więcej niż do produkcji wieprzowiny albo kurczaków. W przyszłości nie będziemy po prostu mogli liczyć na utrzymanie spożycia mięsa wołowego na obecnym poziomie. Ziemia jest na to za mała.

Przeprowadzono już mnóstwo badań na temat tego, jak powinna wyglądać sprawiedliwa, zdrowa i zrównoważona dieta, dobra zarówno dla ludzi, jak i dla planety. Większość ekspertów zgadza się co do tego, że w przyszłości będziemy musieli przejść na dietę roślinną, ograniczając konsumpcję mięsa, zwłaszcza czerwonego[26]. W ten sposób nie tylko zredukujemy powierzchnię gruntów uprawnych i ograniczymy emisję gazów cieplarnianych, ale też zadbamy o własne zdrowie. Naukowcy twierdzą, że jeśli ograniczymy spożycie mięsa, o dwadzieścia procent obniży się liczba zgonów spowodowanych chorobami serca, otyłością i niektórymi nowotworami. W skali globalnej oszczędzimy bilion dolarów na opiece zdrowotnej[27].

Jednakże hodowla zwierząt i konsumpcja mięsa są ważną częścią kultury i tradycji wielu grup. Setki tysięcy ludzi na całym świecie pracują przy produkcji mięsa, a w wielu miejscach nie mają alternatywnego źródła dochodu. W jaki sposób mamy więc przestawić się na dietę opartą na roślinach? Moim zdaniem jest to druga wielka zmiana obyczajowa, która będzie musiała się dokonać w najbliższych dziesięcioleciach. Będziemy

---

[26] Najważniejsze raporty z ostatnich lat to: *The Planetary Health Diet and You*, przygotowany przez EAT-Lancet commission (2019), zob. https://eatforum. org/eat-lancet-commission/the-planetary-health-diet-and-you, oraz *Sustainable Diets and Biodiversity*, przygotowany przez Organizację Narodów Zjednoczonych do spraw Wyżywienia i Rolnictwa (2010), zob. http://www.fao.org/3/a-i3004e.pdf.

[27] Te wyliczenia pochodzą z artykułu przygotowanego przez interdyscyplinarny zespół naukowców z Oksfordu badających przyszłość żywności. Więcej zob. M. Springmann i in., *Analysis and valuation of the health and climate change cobenefits of dietary change*, 2016, https://www.pnas.org/content/early/2016/03/16/1523119113.

musieli zrezygnować z paliw kopalnych, a także ograniczyć spożycie mięsa i nabiału. Można już zaobserwować początki tej zmiany. Najnowsze badania wskazują, że jedna trzecia Brytyjczyków przestała jeść mięso lub mocno ograniczyła jego spożycie, a trzydzieści dziewięć procent Amerykanów podejmuje wysiłki w celu zwiększenia udziału roślin w diecie[28]. Sam w ostatnich latach zrezygnowałem z jedzenia mięsa i obyło się bez żadnych nagłych postanowień. Nie mogę udawać, że zrobiłem to celowo, nie czuję się z tego nawet zbyt dumny, ale zaskoczyło mnie odkrycie, że nie brakuje mi go. Cała branża spożywcza stara się dostosować do tego trendu.

Największe sieci restauracji i supermarketów eksperymentują obecnie z a l t e r n a t y w n y m i ź r ó d ł a m i b i a ł k a, czyli pokarmami, które wyglądają jak mięso lub nabiał, a także przypominają je w smaku i dotyku, ale nie budzą wątpliwości natury etycznej i nie wywierają tak szkodliwego wpływu na środowisko jak hodowla zwierząt. Łatwo znaleźć roślinne zamienniki

---

[28] Źródła tych informacji można znaleźć w dwóch artykułach: https://www.theguardian.com/ business/2018/nov/01/third-of-britons--have-stopped-or-reduced-meat-eating-vegan-vegetarian-report, i https://www.foodnavigator-usa.com/Article/2018/06/20/Innovative-plant-based-food-options-outperform-traditional-staples-Nielsen-finds. Z najnowszych badań wynika, że w 2017 roku dwadzieścia osiem procent Brytyjczyków starało się ograniczyć spożycie mięsa, liczba ta wzrosła w 2019 roku do trzydziestu dziewięciu procent (https://www.mintel.com/press-centre/food-and-drink/plant-based--push-uk-sales-of-meat-free-foods-shoot-up-40-between-2014-19).

mleka, śmietanki, kurczaka lub burgerów, niektóre z nich są nadzwyczaj podobne do potraw, które udają, mają też wysokie wartości odżywcze. Popularnym składnikiem tych produktów jest soja, ale kiedy je spożywamy, stawiamy się w pozycji roślinożerców i wyrządzamy środowisku mniejszą szkodę, niż gdybyśmy spożyli mięso zwierząt karmionych soją.

W pewnym momencie na półkach pojawi się czyste mięso. Wytwarza się je z komórek zwierzęcych w warunkach laboratoryjnych. Chów zwierząt jest zbędny, a sam proces bardzo wydajny. Tkanki są hodowane w starannie dobranej pożywce. Nie zużywa się przy tym zbyt dużo wody, energii i przestrzeni, produkcja zaś może być przeprowadzona w sposób etyczny.

Niewykluczone, że w dalszej przyszłości biotechnolodzy będą umieli wykorzystać mikroorganizmy do wytworzenia dowolnych białek, a nawet bardziej złożonych produktów organicznych. Możliwe, że wystarczy do tego powietrze i woda, a całość będzie napędzana energią odnawialną.

Obecnie produkcja większości alternatywnych źródeł białka jest bardzo kosztowna. Nie wszystkie nadają się do spożycia, trzeba też udoskonalić technologię. Niektóre są produktami wysoko przetworzonymi, co spotyka się z krytyką konsumentów. Wiele osób uważa jednak, że kiedy tylko spadną ceny i te alternatywne produkty będą kosztowały tyle samo, co wołowina, kurczak, wieprzowina, nabiał albo nawet ryby, przemysł spożywczy całkowicie się zmieni[29]. Wiele produktów, na przykład mielone mięso wołowe, kiełbasy, piersi kurczaka i przetwory mleczne mogą być wytwarzane z alternatywnych źródeł białka już w najbliższych dziesięcioleciach. Być może tradycyjne metody nie znikną w przypadku bardziej wyrafinowanych dań — steków, drogich serów i wędlin regionalnych, ale ludzkość będzie w stanie się wyżywić, wykorzystując do tego mniej gruntów, energii i wody, a także ograniczając emisję gazów cieplarnianych. Alternatywne źródła białka mogą nam bardzo pomóc, jeśli chcemy zacząć funkcjonować w sposób zrównoważony.

Organizacja Narodów Zjednoczonych do spraw Wyżywienia i Rolnictwa szacuje, że przy zachowaniu obecnego tempa rozwoju rolnictwa około roku 2040 osiągniemy szczyt zagospodarowania gruntów rolnych[30]. Po raz pierwszy od wynalezienia rolnictwa, co nastąpiło jakieś dziesięć tysięcy lat temu, nie będziemy mogli zajmować kolejnych gruntów.

---

[29] Radykalną opinię na temat tempa i zakresu zmian czekających przemysł spożywczy i rolnictwo można znaleźć tutaj: https://www. rethinkx.com/food-and-agriculture-executive-summary. Organizacja Narodów Zjednoczonych do spraw Wyżywienia i Rolnictwa w 2012 roku przygotowała szczegółową analizę przyszłości rolnictwa w najbliższych dziesięcioleciach (http://www.fao.org/3/a-ap106e.pdf).

[30] Ilość gruntów, które byłyby nam niezbędne, gdybyśmy przeszli na dietę roślinną, gwałtownie spada ze względu na coraz większą wydajność nowoczesnego rolnictwa. Więcej danych na ten temat, a także prognozy dotyczące przyszłego zapotrzebowania na grunty rolne zob. https://ourworldindata.org/land-use#peak-farmland.

Jeśli jednak drastycznie zwiększymy plony z użyciem zrównoważonych metod, zaczniemy użyźniać wyjałowione grunty, nauczymy się uprawiać rośliny w nowych przestrzeniach, ograniczymy konsumpcję mięsa i wprowadzimy alternatywne źródła białka, może uda nam się pójść o krok dalej i odwrócić zawłaszczanie przestrzeni. Z badań wynika, że bylibyśmy w stanie się wyżywić, wykorzystując zaledwie połowę terenu, który obecnie uprawiamy. Wystarczyłby nam obszar wielkości Ameryki Północnej. Odrolnienie gruntów jest niezwykle ważne, ponieważ musimy je jak najszybciej wykorzystać w ważnym celu — dla zwiększenia bioróżnorodności i wiązania dwutlenku węgla. Kluczową rolę odegrają rolnicy, których najbardziej dotknie zielona rewolucja.

POZWÓLMY GRUNTOM ZDZICZEĆ

Niegdyś większość powierzchni Europy porastały gęste lasy. W oczach mieszkańców malutkich, dopiero się rozwijających osad, rozsianych po całym kontynencie, las był wrogiem, przeszkodą na drodze do założenia skromnych pól i wyżywienia rodziny. Las budził lęk, żyły w nim dziwne duchy i dzikie zwierzęta. Baśnie były pełne przestróg przed samotnym błąkaniem się po lesie. Rodzice ostrzegali dzieci przed wilkami, które mogą je zjeść na kolację. Mówili, że las je omami i znikną na zawsze. W lesie czaiły się czarownice. Drwale i myśliwi, którzy odważnie zapuszczali się w puszczę, uchodzili za bohaterów. Dzikie ostępy, rosnące nieubłaganie i grzebiące śpiące księżniczki i opustoszałe zamki, były wiecznym postrachem.

Rolnicy z całych sił walczyli z lasem, wypalając i wycinając kasztanowce, wiązy, dęby i sosny, karczując brzegi rzek i zbocza dolin. Zabijali leśne zwierzęta i wieszali ich łby na ścianach jako trofea. Nauczyli się obrabiać drewno, ścinali jesiony, leszczyny i wierzby. Z długich, smukłych witek wyplatali płoty i pokrycie dachów, z prostych pni robili kolumny łóżek. Liczba farm i farmerów rosła. Coraz mniej się bali. Udało im się oswoić las.

My, ludzie, mamy wycinanie lasów we krwi. To symbol naszej dominacji. Postęp i karczowanie terenów leśnych są ze sobą tak blisko związane, że istnieje nawet opisany model. Historia związków danego narodu z lasem zaczyna się od deforestacji, ale wraz z rozwojem kraju zaczyna się etap reforestacji. Można to nazwać cyrkulacją lasu. Kiedy ludzi jest niewiele i żyją w rozproszeniu w małych gospodarstwach, produkujących żywność na własny użytek, nie są w stanie wyciąć dużych połaci lasu. Jednak nawet niewielka przecinka powoduje, że w głąb lasu przedostaje się więcej wiatru i światła. W ślad za nowymi warunkami idzie zmiana składu gatunkowego. Las podzielony na mniejsze fragmenty nie jest w stanie utrzymać swojego starego ekosystemu.

Gdy farmerzy zaczynają handlować swoimi plonami, pojawia się gospodarka rynkowa. Gospodarstwa zmieniają się w przedsiębiorstwa, zwiększają liczbę i wielkość pól. Wartość ziemi uprawnej szybko rośnie, a gospodarze patrzą na lasy łakomym wzrokiem. Wkrótce po wielkiej puszczy pozostają jedynie niewielkie zagajniki i młodniaki między polami. Z czasem, wraz z doskonaleniem technik rolniczych, plony stają się coraz wyższe, a mieszkańcy wsi chętnie przenoszą się do miast. Państwo zaczyna importować zboże i drewno, a popyt na ziemię uprawną spada. Najpierw zostawia się grunty marginalne, a las zaczyna powoli powracać.

Większość Europy wkroczyła w fazę reforestacji, czyli przyrostu powierzchni lasów, zaraz przed drugą wojną światową*. Lasy wschodnich stanów USA, wycięte w błyskawicznym tempie przez pierwszych europejskich osadników, także zaczęły się odradzać w pierwszej połowie dwudziestego wieku. Podobny proces obserwujemy od lat siedemdziesiątych do dziś

---

* Niestety dotyczy to tylko powierzchni lasów, a nie ich bioróżnorodności. Przyrasta powierzchnia upraw leśnych, natomiast spada powierzchnia lasów naturalnych i zbliżonych do naturalnych. Co więcej, w ostatnich latach obserwujemy gwałtowny przyrost wycinania dojrzałych lasów, zob. G. Ceccherini, G. Duveiller, G. Grassi i in., *Abrupt increase in harvested forest area over Europe after 2015*, „Nature" 2020, nr 583, s. 72–77, https://doi.org/10.1038/s41586-020-2438-y (przyp. konsultanta wyd. polskiego).

na zachodzie Stanów Zjednoczonych, w części Ameryki Środkowej, a także w niektórych regionach Indii, Chin i Japonii. Należy zauważyć, że jednym z najważniejszych czynników umożliwiających tym krajom reforestację jest to, że dzięki globalizacji importują one coraz więcej zbóż i drewna z krajów mniej rozwiniętych. Trudno się więc dziwić, że wciąż trwa intensywna wycinka lasów w tropikach. Państwa położone w pobliżu równika, za pieniądze producentów wołowiny, oleju palmowego i drewna tropikalnego, zrównują z ziemią najgęstsze, najdziksze i najbardziej mroczne puszcze świata — lasy deszczowe. Czy powinniśmy je zachęcać, by jak najszybciej przeszły do kolejnego etapu cyrkulacji lasów? Niestety, nie możemy sobie pozwolić na cierpliwość. Jeśli pozwolimy, by historia puszcz tropikalnych toczyła się zwykłym rytmem, zginie przy tym tyle gatunków, a do atmosfery przedostanie się tyle dwutlenku węgla, że ludzkość czekać będzie katastrofa. Musimy natychmiast zatrzymać wycinkę lasów na całym świecie, wspomagając za pomocą inwestycji lub handlu kraje, które ich jeszcze nie wycięły. W ten sposób zdołamy zachować drzewa bez rezygnowania przy tym z korzyści, które przynoszą.

Łatwiej to powiedzieć niż zrobić. Zachowanie dzikich obszarów na lądzie jest dużo trudniejsze od utworzenia rezerwatów na oceanach. Otwarte wody nie są niczyją własnością. O losie wód terytorialnych decydują rządy poszczególnych krajów. Ląd jest natomiast miejscem, w którym żyjemy. Podzieliliśmy go na miliardy działek w różnych rozmiarach. Są kupowane, sprzedawane lub należą do przeróżnych podmiotów — do osób prywatnych, do firm, samorządów i państw. Ich wartość określa rynek. Sedno problemu tkwi w tym, że nie da się wycenić dzikiej przyrody i usług świadczonych przez dany obszar dla środowiska, zarówno w skali lokalnej, jak i globalnej. Na papierze sto hektarów lasu deszczowego ma mniejszą wartość niż sto hektarów plantacji palm olejowych, dlatego wylesianie jest postrzegane jako intratne zajęcie. Możemy temu zaradzić, tylko zmieniając całkiem sposób określania wartości danego terenu.

Program REDD+, opracowany przez ONZ, jest jedną z takich prób[31]. Jego celem jest podniesienie wartości ostatnich lasów deszczowych za pomocą wyceny olbrzymiej ilości dwutlenku węgla, który magazynują. Umożliwi to oferowanie rządom i prywatnym osobom wynagrodzenia za zachowywanie dzikich terenów leśnych. Środki miałyby pochodzić częściowo z opłat offsetowych. Teoretycznie REDD+ powinien spełniać swoją funkcję, ale w praktyce okazuje się, że kwestie własności ziemi i jej wartości są skomplikowane, a program budzi poważne wątpliwości. Społeczności lokalne twierdzą, że REDD+ odziera lasy deszczowe z ich prawdziwej wartości, sprowadzając wszystko do

---

[31] Więcej na temat program REDD+ zob. https://www.un-redd.org.

pieniędzy, i że jest w istocie nową formą kolonializmu. Okazję do zarobku zwęszyli pochodzący z innych krajów tzw. węglowi kowboje. Natychmiast zaczęli nabywać hektary lasu w nadziei, że ich wartość wkrótce wzrośnie. Są też obawy, że duże koncerny potraktują system REDD+ jako wymówkę dla dalszego korzystania z paliw kopalnych.

Kiedy coś zyskuje na wartości, w ludziach budzi się chciwość — to smutne, ale prawdziwe. Obecnie prowadzone są projekty REDD+ w Ameryce Południowej, Afryce i Azji, co rodzi nadzieję, że metoda ta zostanie wkrótce dopracowana. Potrzebujemy czegoś takiego jak REDD+, który jest odważną próbą zmierzenia się z wiecznym niedoszacowaniem wartości dzikiej przyrody. Musimy być wytrwali. Podwaliną programu jest coś, co wszyscy instynktownie pojmujemy. Ostatnie lasy, puszcze, bagna i łąki są bezcenne. To magazyny dwutlenku węgla, nie możemy sobie pozwolić na ich opróżnienie. Świadczą nam usługi, bez których nie przetrwamy. Są ostoją bioróżnorodności, której nie wolno nam utracić. W jaki sposób mamy przeliczyć ich wartość za pomocą jakiegoś istniejącego już systemu?

Może powinniśmy zmienić walutę. Z wycenianiem przyrody tylko na podstawie jej zdolności do wiązania i magazynowania dwutlenku węgla wiąże się ryzyko, że za jakiś czas nie będzie nam zależało na niczym oprócz węgla. W ten sposób zbanalizujemy rolę, jaką odgrywa przyroda. Co gorsze, możemy doprowadzić

do tego, że zaczniemy postrzegać szybko rosnące plantacje drzew eukaliptusowych za równie cenne jak bogata i różnorodna puszcza. Może przeznaczymy nieużytki pod monokultury, będziemy woleli uprawiać rośliny przeznaczane na biopaliwa, a nie przywracać dzikie lasy. Wychwytywanie dwutlenku węgla jest niezwykle istotne, ale nie jest jedynym ważnym zadaniem. Nie zatrzyma szóstego wymierania. Jeśli chcemy, żeby na świecie zapanowała równowaga, musimy zadbać o bioróżnorodność. W końcu wraz z jej wzrostem poprawi się zdolność ekosystemów do wiązania i magazynowania dwutlenku węgla — bardziej zróżnicowane pod względem gatunkowym obszary lepiej sobie z tym radzą. Jak wyglądałby świat, gdyby bioróżnorodność miała odpowiednią wartość, a posiadacze ziemscy dbali o nią na wszystkie możliwe sposoby?

Byłoby to cudowne. Pierwotne lasy deszczowe, puszcze obszarów umiarkowanych, nietknięte bagna i naturalne łąki stałyby się nagle najbardziej pożądanymi nieruchomościami! Ich właściciele dostawaliby wynagrodzenie za to, że je chronią. Ustałaby wycinka lasów. Szybko by do nas dotarło, że najlepszym miejscem na plantację palm olejowych lub soi nie jest obszar porośnięty drzewami, ale teren wylesiony przed laty, a takich by nam nie zabrakło.

Wiedzielibyśmy, że musimy szukać sposobów na korzystanie z dzikiej przyrody przy jednoczesnym zachowaniu bioróżnorodności i dbaniu o wychwytywanie dwutlenku węgla. Jest to możliwe. Ostrożnie badając roślinność pierwotnych lasów tropikalnych, moglibyśmy odkryć cząsteczki organiczne, które dałoby się wykorzystać do stworzenia leku na jakąś chorobę, nowego materiału albo pożywienia. Warunkiem byłaby zgoda mieszkańców tych terenów, a także ich partycypacja w zyskach. Zrównoważona wycinka[32], polegająca na starannym wybieraniu drzew i usuwaniu ich w tempie, które umożliwia naturalne odradzanie się lasu, byłaby dopuszczona, ponieważ nie powoduje spadku bioróżnorodności[33]. Źródłem dochodu mogłaby być ekoturystyka, która umożliwia nam zobaczenie na własne oczy cudów natury, które należy chronić, a której wpływ na środowisko jest niewielki. Zresztą jeśli dzikich miejsc byłoby więcej, ruch turystyczny odpowiednio by się rozłożył.

[32] Forestry Stewardship Council (FSC) to organizacja pozarządowa, której celem jest promowanie odpowiedzialnej, korzystnej dla społeczeństwa, a zarazem opłacalnej gospodarki leśnej przez globalny system certyfikatów. Zielone logo FSC na produktach świadczy o tym, że zostały one wykonane z drewna pozyskanego w zrównoważony sposób, z lasów, które są zarządzane w odpowiedzialny sposób. Więcej zob. https://www.fsc.org.

[33] Dobrym przykładem odpowiedzialnego gospodarowania lasami jest Deramakot Forest Reserve w stanie Sabah na Borneo. Rezerwat ten ma certyfikat Forestry Stewardship Council od 1997 roku, dłużej niż jakikolwiek inny las tropikalny. Wycinka jest tu prowadzona ostrożnie, z dbałością o zachowanie bioróżnorodności, z badań zaś wynika, że udaje się ją utrzymać na takim samym poziomie, jak w nietkniętych rejonach Sabahu. Historię tego miejsca i krótki film można znaleźć pod adresem https://www.weforum.org/agenda/2019/09/jungle-gardener-borneo-logging-sustainably-wwf.

Zależałoby nam na oddawaniu przyrodzie kolejnych gruntów i na regeneracji nieużytków. Najlepiej poradziliby sobie z tym zadaniem liderzy lokalnych społeczności. Z doświadczenia ekologów wynika, że wprowadzenie trwałych zmian na lepsze jest możliwe tylko przy zaangażowaniu mieszkańców danego terenu. Muszą oni czuć, że wzrost bioróżnorodności będzie dla nich korzystny. Przykładem może być pewna historia z Kenii. Masajowie to pasterze, którzy przez setki lat wypasali krowy i kozy na równinach Serengeti. Nie polują na dzikie zwierzęta i godzą się z tym, że drapieżniki polują od czasu do czasu na ich bydło. Wraz z rozwojem gospodarczym Kenii wzrosła liczba Masajów. Ich coraz większe stada zjadały całą trawę, a dziko żyjące zwierzęta, które wcześniej koegzystowały z bydłem, zaczęły znikać z Serengeti. Masajowie zareagowali, tworząc organizacje ochrony przyrody, których celem było przywrócenie wcześniejszego stanu. Zdecydowali, że będą wypasać swój inwentarz w sposób, który nie zagraża roślinności. Dzięki temu na pastwiska zaczęły wracać inne zwierzęta — najpierw roślinożercy, a w ślad za nimi drapieżniki. Żyjące na tych terenach rodziny zaczęły wydawać licencje na budowę niewielkich, przyjaznych dla środowiska obozów safari. Wraz ze wzrostem liczby dzikich zwierząt przybywało turystów, a społeczność Masajów się bogaciła. Po kilku latach niektóre rodziny postanowiły wręcz ograniczyć pogłowie bydła. Kiedy w 2019 roku odwiedziłem Serengeti, młodsze pokolenie Masajów wyjaśniło, że cenniejsze są dla nich obecnie dzikie zwierzęta. W ślady tych pierwszych grup idą kolejne, zachęcone sukcesem sąsiadów. Niewykluczone, że za kilkadziesiąt lat sieć rezerwatów i obszarów chronionych będzie się rozciągać od Jeziora Wiktorii aż do wybrzeży Oceanu Indyjskiego — tylko dzięki temu, że bioróżnorodność okazała się wartościowa.

Nadzieja istnieje także dla Europy. Dzika przyroda może powrócić na obszary, które są uprawiane od stuleci. Produkcja żywności nie wymaga już anektowania kolejnych terenów, więc rządy niektórych państw dopuszczają możliwość wprowadzenia dopłat dla rolników, którzy będą wprowadzać na swojej ziemi metody wspierające wzrost bioróżnorodności i wiązanie dwutlenku węgla[34]. Nowe zasady mogłyby być zaczynem spektakularnych zmian na milionach hektarów europejskich gruntów uprawnych. Można by się spodziewać, że zamiast ogrodzeń pola będą otoczone żywopłotami. Gwałtownie wzrosłaby popularność agroleśnictwa, a zboża i warzywa siano by pod drzewami.

[34] Rząd brytyjski, na przykład, rozważa wprowadzenie dopłat dla rolników na podstawie wartości, jaką ich ziemia może mieć dla ogółu społeczeństwa, a nie tylko ze względu na prowadzone na niej uprawy. Pod uwagę mają być brane takie czynniki jak poziom bioróżnorodności i zdolność do wiązania dwutlenku węgla. Wiele osób wątpi, czy projekt uda się wprowadzić w życie, ale według ankiet prowadzonych niedawno przez Wildlife and Countryside Link popierają go sami rolnicy. Więcej zob. https://www.wcl.org.uk/assets/uploads/files/WCL_Farmer_Survey_Report_Jun19FINAL.pdf.

Gospodarze zaczęliby przywracać stawy i cieki wodne. Szkodliwe dla bioróżnorodności pestycydy i herbicydy straciłyby swój powab. W ich miejsce zaczęto by sadzić rośliny odciągające szkodniki od upraw, a gleby poddano by różnym zabiegom regeneracyjnym.

Takie podejście do rolnictwa może okazać się szczególnie atrakcyjne dla hodowców trzody chlewnej. Wraz ze wzrostem popularności diety roślinnej konsumenci mięsa będą coraz staranniej dokonywać zakupów, przedkładając jakość nad ilość. Możliwe, że będą wybierać wołowinę, cielęcinę, wieprzowinę i drób wyprodukowane w sposób przyjazny środowisku, wspomagający wzrost bioróżnorodności i sekwestrację dwutlenku węgla. Hodowcy zaczną więc rezygnować z intensywnego tuczenia zwierząt i z chowu przemysłowego. Zaczną wypasać zwierzęta w lesie, pojawią się więc tak zwane lasy pastwiskowe. Będą produkować mniej mięsa, ale za to będzie ono wysokiej jakości. Rosnące na terenie farm hodowlanych drzewa zwiążą tyle dwutlenku węgla, że zrównoważy to emisję gazów cieplarnianych związaną z hodowlą. Trzoda będzie też zdrowsza, bo drzewa zapewnią jej cień i schronienie. Zwierzęta dostarczą nawozu i będą trzymać w ryzach chwasty.

Lasy pastwiskowe sprawdzają się, bo są odzwierciedleniem natury. W czasach prehistorycznych Europę pokrywała puszcza przecinana łąkami i polanami. Był to krajobraz uformowany przez wędrujące stada potężnych turów, dzikich koni zwanych tarpanami, żubrów, łosi i dzików — ich podobizny można zobaczyć na ścianach francuskich jaskiń. Dwoje śmiałych hodowców bydła z południowej Anglii próbuje odtworzyć tę naturalną społeczność.

W 2000 roku Charlie Burrell i Isabella Tree zdecydowali się na ryzykowny krok na swojej tysiącczterystahektarowej farmie Knepp Estate[35]. W obliczu groźby bankructwa zdecydowali się odejść od komercyjnego rolnictwa, którym zajmowali się przez całe życie, i oddać ziemię przyrodzie. Zlikwidowali płoty, wybrali odmiany bydła, koni, świń i jeleni, które najbardziej przypominały gatunki żyjące na tym terenie tysiące lat temu, puścili je luzem i zrezygnowali z dokarmiania. Stykające się ze sobą swobodnie zwierzęta zaczęły przejawiać zachowania typowe dla dzikich osobników, które zamieszkują te same pastwiska. Zebry preferują twardsze i wyższe trawy, zostawiając delikatniejsze rośliny antylopom gnu. Z badań wynika, że bydło wypasane razem z osłami szybciej przybiera na wadze. W dzikich siedliskach można zaobserwować wiele podobnych zależności. Można z nich skorzystać, by przewidzieć, jaka przyszłość czeka dany

---

[35] Historia farmy w Sussex, którą Charlie i Isabella postanowili przywrócić do stanu dzikiego, została wspaniale opisana przez Isabellę Tree w książce *Wilding* (2018). To odkrywcza opowieść o problemach związanych z nowoczesnym rolnictwem, a także o niesamowitej zdolności przyrody do odradzania się. Zawiera przykłady na to, jak możemy skorzystać ze zróżnicowanego ekosystemu.

krajobraz. Farma Knepp Estate zaczęła się zmieniać. Obecność przypominających faunę prehistorycznej Anglii stad sprawiła, że pola zostały zastąpione przez bagna, krzaki, nieużytki i lasy. Gwałtownie wzrosła bioróżnorodność. W ciągu zaledwie piętnastu lat teren ten stał się jednym z najlepszych w Anglii miejsc do obserwacji wielu rzadkich gatunków roślin, owadów, nietoperzy i ptaków.

Charlie i Isabella nadal wytwarzają żywność na swojej dzikiej farmie. Co roku szacują, ile zwierząt może się wyżywić na terenie zmieniającego się gospodarstwa i pozyskują nadwyżki. Tym samym przyjmują na siebie rolę drapieżników, które zajmują najwyższe miejsce w łańcuchu pokarmowym.

Celem Knepp Estate nie jest ochrona przyrody w tym sensie, że działalność farmy nie ma na celu poprawienia sytuacji konkretnych gatunków. Jej właściciele po prostu oddali kontrolę zwierzętom, które świetnie wywiązują się z zadania. Rekordowa bioróżnorodność idzie w parze z wiązaniem ton dwutlenku węgla. Gleba staje się coraz żyźniejsza, a nowe stosunki wodne minimalizują ryzyko powodzi w dole rzek. Nie ulega wątpliwości, że nie ma gospodarstwa, które bardziej przypominałoby dawną, dziką Anglię. Miejsce to przyciąga wielu odwiedzających, więc właściciele zaczęli czerpać dodatkowy zysk z organizacji wycieczek przyrodniczych i biwakowania na łonie natury.

W przyszłości, kiedy troska o bioróżnorodność będzie odpowiednio wynagradzana, dzikie farmy mogą zyskać popularność. Każde skupisko zwierząt, pełniące taką funkcję jak natywne gatunki danego ekosystemu, pomagałoby przywrócić siedlisku jego naturalny stan. Jeśli zyski z ekoturystyki nie wchodziłyby w grę, rolnicy mogliby szukać innych źródeł utrzymania, na przykład generując czystą energię i odsprzedając nadwyżki. Na polach, a nawet w lasach, czego dowodzi przykład Niemiec, można stawiać olbrzymie turbiny wiatrowe, które nie zakłócają życia dzikiej przyrody. Hodowcy zwierząt mogą w przyszłości zająć się czymś więcej niż tylko żywnością. Wykorzystując naturalny potencjał swoich gospodarstw, mogliby wytwarzać żyzną glebę, pośredniczyć w handlu uprawnieniami do emisji dwutlenku węgla, organizować wycieczki przyrodnicze, produkować energię i chronić dziką przyrodę.

Niewykluczone, że dzikie farmy mogłyby stać się zaczynem do zmiany całego krajobrazu. Jeśli chodzi o bioróżnorodność, im większy obszar, tym lepsze rezultaty. Gdyby właściciele sąsiednich ziem porozumieli się co do podziału zysków, mogliby działać razem, łącząc swoje działki i tworząc olbrzymie rezerwaty, pod wieloma względami podobne do terenów zarządzanych przez Masajów. Proces ten już się rozpoczął. Mieszkańcy Wielkich Równin Ameryki Północnej i głębokich, zalesionych dolin w Karpatach łączą swoje działki w ramach projektów wspomagania bioróżno-rodności[36]. Jest to więc możliwe.

Działalność na większą skalę umożliwia realizację najbardziej spektakularnego i kontrowersyjnego marzenia — reintrodukcji dużych drapieżników. Może to mieć sens w świecie, w którym będzie można zarabiać na ochronie bioróżnorodności i wychwytywaniu dwutlenku węgla. Przy odpowiednio dużej przestrzeni możemy wywołać efekt nazywany k a s k a d ą t r o f i c z n ą. Najsłynniejszy jej przykład zaobserwowano w parku narodowym Yellowstone po reintrodukcji wilków w 1995 roku. Wcześniej duże stada jeleni godzinami przeczesywały zarośla w poszukiwaniu młodych drzewek, rosnących w dolinach rzek i na zboczach wąwozów. Kiedy pojawiły się wilki, jelenie przestały to robić, nie dlatego, że drapieżniki uszczupliły ich populację, ale ze strachu. Stada zmieniły swoje zwyczaje. Często się przemieszczały i rzadko zostawały dłużej

---

[36] Na całym świecie ruszają projekty dotyczące ponownego zadziczania różnych obszarów. Coraz częściej stają się sposobem na podniesienie bioróżnorodności gatunkowej i przywrócenie naturalnych procesów danym siedliskom. Jako przykład można podać Ennerdale i projekt ochrony krajobrazu, który pełni wiele funkcji, prowadzony w samym sercu uwielbianego przez Anglików regionu Lake District; inicjatywę American Prairie Reserve, której celem jest przywrócenie amerykańskich prerii do stanu pierwotnego, a także liczne projekty europejskie pod egidą Rewilding Europe, np. odnowa bioróżnorodności delty Dunaju. Więcej zob. http://www.wildennerdale.co.uk/, https://rewildingeurope.com/space-for-wild-nature i https://rewildingeurope.com/areas/danube-delta.

na otwartym terenie. Nie minęło sześć lat, a drzewa urosły i zaczęły rzucać cień na rzeki, umożliwiając rybom chowanie się w półmroku. Zbocza wzgórz zarosły osikami, wierzbami i topolami, tworzącymi dogodne środowisko dla ptaków śpiewających, bobrów i bizonów. Wilki polowały także na kojoty, przez co wzrosła liczebność królików i myszy. Obfitość gryzoni okazała się korzystna dla lisów, łasic i jastrzębi. Aż wreszcie wzmocniła się populacja niedźwiedzi, które żywiły się resztkami pozostawionymi przez wilki, jesienią zaś pochłaniały owoce drzew i krzewów, które dawniej nie miały szans ich wydać[37].

Konkluzja jest oczywista — żeby podnieść bioróżnorodność i zdolność ekosystemu do wychwytywania dwutlenku węgla, wystarczy wprowadzić do niego wilki. Pamiętają o tym Europejczycy, planujący przyszłość dwudziestu–trzydziestu milionów hektarów nieużytków, które powstaną w wyniku cyrkulacji lasu do końca lat trzydziestych dwudziestego pierwszego wieku. To obszar wielkości Włoch. Jeśli chcemy zalesić dawne tereny rolne, powinniśmy zadbać także o bioróżnorodność tych terenów i ich zdolność do wychwytywania dwutlenku węgla. Ponowne zadziczanie przestrzeni to praktyczne rozwiązanie dla rządów, które zdają sobie sprawę z tego, jaką wartość

---

[37] Więcej na temat efektów reintrodukcji wilków w parku narodowym Yellowstone zob. https://www.nps.gov/yell/learn/nature/wolf-restoration.htm.

ma przyroda i jak wpływa na stabilność i dobrostan danego państwa.

Wszystkie te działania mają doprowadzić do tego, że pod koniec wieku dzikich obszarów będzie więcej niż na początku. Sceptycy mogą przeanalizować przypadek Kostaryki. Sto lat temu ponad trzy czwarte powierzchni tego kraju pokrywał las, w większości tropikalny. Do lat osiemdziesiątych dwudziestego wieku wskutek intensywnej wycinki i karczowania kolejnych terenów pod uprawy obszar ten zmniejszył się do zaledwie jednej czwartej. Rząd uznał, iż dalsza deforestacja wiąże się z ryzykiem, i zaczął oferować dotacje właścicielom ziemskim, którzy zasadzą rodzime gatunki drzew. W ciągu dwudziestu pięciu lat puszcza znowu pokryła połowę powierzchni Kostaryki. Przyroda jest tam źródłem dochodu, a także wyznacznikiem narodowej tożsamości.

Wyobraźmy sobie podobny proces w skali globalnej. Badania z 2019 roku świadczą o tym, że gdybyśmy przywrócili planecie lasy, mogłyby one wchłonąć nawet dwie trzecie dwutlenku węgla z atmosfery[38]. Może

---

[38] Ten przełomowy raport na temat przywracania drzew i ich potencjału do ograniczenia zmian klimatycznych został przygotowany przez Organizację Narodów Zjednoczonych do spraw Wyżywienia i Rolnictwa i laboratorium Thomasa Crowthera. Choć sadzenie drzew nie powinno być postrzegane jako alternatywa dla rezygnacji z paliw kopalnych, z raportu wynika, że istnieje 1,7 miliarda hektarów nieużytków, na których można by posadzić 1,2 biliona sadzonek drzew. Więcej zob. https://science.sciencemag.org/content/365/6448/76.

to sprawić, że dzika przyroda powróci. Byłby to cenny dar. Umożliwiłby wzrost bioróżnorodności, która świetnie radzi sobie ze swoim głównym zadaniem — przywracaniem Ziemi równowagi.

PRZYGOTUJMY SIĘ NA SZCZYT DEMOGRAFICZNY

Do tej pory rozważania dotyczyły obniżenia naszego śladu ekologicznego i przywrócenia dzikiej przyrody z wykorzystaniem jak największej liczby dostępnych metod. Jeśli z przekonaniem zaczniemy je stosować, bez wątpienia zmniejszymy nasze oddziaływanie na Ziemię. Nawet styl życia osób najlepiej sytuowanych, których ślad jest obecnie największy, stanie się bardziej zrównoważony. Tym samym wpływ ludzkości na środowisko lepiej się rozłoży. Jednak jeśli za wzór stawiamy sobie model pączka — stabilny świat, którego mieszkańcy mają równy dostęp do ograniczonych zasobów planety — musimy wziąć pod uwagę liczebność naszej populacji.

Kiedy się urodziłem, liczba ludności nie przekraczała dwóch miliardów. Dzisiaj jest nas prawie cztery razy więcej, a przyrost naturalny wciąż wzrasta, chociaż po raz pierwszy od lat pięćdziesiątych dwudziestego wieku nieco zwolnił. Według prognoz ONZ pod koniec

Model przejścia demograficznego

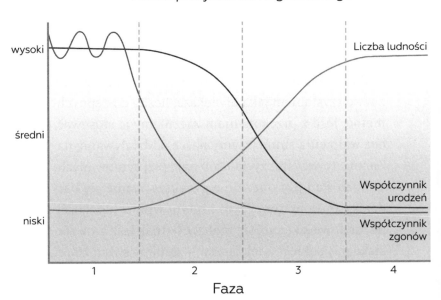

wysoki

Liczba ludności

średni

Współczynnik
urodzeń

niski

Współczynnik
zgonów

1   2   3   4

Faza

dwudziestego pierwszego wieku Ziemię zamieszkiwać będzie od 9,4 do 12,7 miliarda ludzi[39].

Populacje dzikich roślin i zwierząt w danym środowisku trzymają się zwykle na mniej więcej takim samym poziomie, niezakłócającym równowagi całej społeczności. Jeśli jednocześnie żyje zbyt wiele osobników, trudniej jest im zaspokoić życiowe potrzeby. Niektóre giną wtedy przedwcześnie lub szukają innego miejsca do życia. Z kolei kiedy rodzi się za mało młodych, pożywienia jest pod dostatkiem. Dobrze odżywione jednostki rozmnażają się, a populacja szybko wraca do stabilnego poziomu. Liczba osobników danego gatunku w konkretnym siedlisku ulega więc tylko niewielkim wahaniom, a populacja może funkcjonować w danym miejscu bez końca. Ta liczba, określana jako pojemność środowiska — leży u podstaw równowagi w przyrodzie.

Jaka jest więc pojemność Ziemi w odniesieniu do gatunku ludzkiego? Jeszcze nie dotarliśmy do szklanego sufitu, choć naukowcy i filozofowie od dawna przedstawiają rozsądne wyliczenia i ostrzegają. Kolejne wynalazki sprawiają, że wyciskamy ze środowiska

---

[39] Wydział Ludnościowy Departamentu Gospodarki i Spraw Socjalnych ONZ dostarcza najbardziej wiarygodnych danych na temat liczby ludności na świecie. W 2019 roku ukazał się najnowszy raport World Population Prospects. Zawarte są w nim różne prognozy demograficzne na najbliższe osiemdziesiąt lat, zob. https://population. un.org/wpp. Bardziej przystępną wersję można znaleźć tu: https:// ourworldindata.org/future-population-growth.

jeszcze więcej — więcej pożywienia, miejsc do życia i wody. Odnosimy spektakularny sukces, ponieważ nie poprzestajemy na podstawowych zasobach. Tworzymy coraz więcej szkół, sklepów, miejsc rozrywki, urzędów, a nasza populacja przyrasta w niesamowitym tempie. Czy coś nas może zatrzymać?

Odpowiedzią jest nadchodząca katastrofa. Spadek bioróżnorodności, zmiany klimatyczne i przekraczanie ograniczeń planety to tropy prowadzące tylko do jednego wniosku — już wkrótce możemy przekroczyć pojemność środowiska. Od 1987 roku ogłaszany jest Dzień Długu Ekologicznego, czyli moment, w którym ludzkość zużywa wszystkie zasoby, jakie Ziemia jest w stanie odtworzyć w ciągu roku. W 1987 roku przypadł on 23 października. W 2019 roku osiągnęliśmy ten punkt już 29 lipca. Obecnie co roku zużywamy 1,7 razy więcej zasobów niż planeta jest w stanie w ciągu roku odbudować[40]. Za sześćdziesiąt procent z tego odpowiada nasz ślad węglowy, łatwo więc zauważyć, że zaczęliśmy oczekiwać o wiele za dużo od przyrody. Ta przesada stanowi sedno naszego niezrównoważonego podejścia. Zaburzamy pojemność środowiska ziemskiego, przejadając zasoby, które stanowią kapitał planety. Jeśli Ziemia zażąda spłaty odsetek, czeka nas katastrofa.

---

[40] Więcej na temat Dnia Długu Ekologicznego i tego, jak jest wyliczany: https://www.overshootday.org.

Jeśli ograniczymy konsumpcję i jej wpływ na ekosystem, pojemność środowiska znowu wzrośnie. Ziemia będzie w stanie pomieścić więcej ludzi. Jeśli jednak wszyscy mieliby mieć równy dostęp do zasobów, na które zasługują i które mogą poprawić jakość ich życia, tak jak jest to przedstawione w modelu pączka, nasza populacja musi się ustabilizować. Na szczęście z danych wynika, że tak się właśnie dzieje, kiedy wzrasta standard życia.

Przejście demograficzne to pojęcie, którego używa się w geografii do opisania zmian zachodzących w społeczeństwach rozwijających się. Wyróżnia się cztery fazy, choć wiele krajów jeszcze nie przeszło przez wszystkie. Postęp jest mierzony zmianą poziomu urodzeń i zgonów. Kraje przechodzą najpierw przez wyż demograficzny, po czym przyrost naturalny stabilizuje się — można to nazwać fazą dojrzałości. Japonia przeszła tę drogę w dwudziestym wieku. Przez całe tysiąclecia znajdowała się w fazie pierwszej. Jej społeczeństwo można było określić jako preindustrialne, oparte na rolnictwie i narażone na susze, powodzie i epidemie. Poziom urodzeń był wysoki, ale dorównywał mu poziom zgonów, więc liczba ludności utrzymywała się mniej więcej na tym samym poziomie. Pod koniec dziewiętnastego wieku Japonia weszła jednak w fazę gwałtownej industrializacji. Chcąc za wszelką cenę uniknąć podbicia przez europejskie nacje, władze kraju przyjęły politykę, którą można podsumować hasłem: „bogaty kraj i silna armia". Inwestycje w naukę, inżynierię, transport, edukację i rolnictwo zmieniły japońskie społeczeństwo. Kraj wkroczył w fazę drugą, w której poziom urodzeń wzrasta, a poziom zgonów spada. Wpłynęły na to unowocześniona produkcja żywności, dostęp do szkół i opieki zdrowotnej, a także lepsze warunki sanitarne. Kobiety nadal rodziły tyle samo dzieci, co przedtem — czworo, pięcioro albo sześcioro, ludzi było więc coraz więcej. Między rokiem 1900 a 1955 populacja Japonii podwoiła się, osiągając osiemdziesiąt dziewięć milionów.

Bezpośrednio po drugiej wojnie światowej przegrana Japonia pod nadzorem aliantów musiała porzucić ambicje militarne i zacząć gospodarczą odbudowę kraju. Wraz z nadejściem Wielkiego Przyspieszenia wzrósł popyt na takie produkty jak pralki, telewizory i samochody. Japonia świetnie sprawdziła się w roli ich producenta. Od początku lat pięćdziesiątych aż do lat siedemdziesiątych gospodarka rozwijała się tak szybko, że mówiło się o cudzie. Miasta rozrastały się, ludzie zarabiali coraz więcej, byli lepiej wykształceni i ambitni. W tym czasie spadła jednak liczba urodzeń. W 1975 roku przeciętna japońska rodzina miała już tylko dwoje dzieci. Wielu ludziom wiodło się lepiej, ale życie kosztowało coraz więcej. Zaczęło brakować miejsca, pieniędzy i czasu na życie rodzinne, a ponieważ wraz ze zmianą diety i lepszą opieką zdrowotną spadła też śmiertelność noworodków, Japończycy nie czuli już potrzeby posiadania wielu dzieci. Kraj przechodził przez fazę trzecią, podczas której odsetek zgonów utrzymuje się na stałym poziomie, ale spada liczba urodzeń. Wyż demograficzny odchodził do przeszłości, za to gospodarka nadal się rozwijała.

Na początku dwudziestego pierwszego wieku Japonia miała już sto dwadzieścia sześć milionów mieszkańców. Dzisiaj jest podobnie. Liczba ludności ustabilizowała się, a kraj wkroczył w fazę czwartą. Zarówno dzietność, jak i liczba zgonów są niskie, co sprawia, że populacja utrzymuje się na stałym poziomie. Wyż demograficzny był przejściowy, zatrzymał go rozwój gospodarczy związany z Wielkim Przyspieszeniem.

Wszystkie narody świata przechodzą przez te same fazy. Gwałtowny wzrost liczby ludności w dwudziestym wieku wynikał z tego, że wiele państw przechodziło wtedy fazę drugą i trzecią przejścia demograficznego. Od tego czasu przeciętna rodzina zmalała o połowę. Na początku lat sześćdziesiątych statystyczna kobieta miała pięcioro dzieci. Dzisiaj ma średnio dwoje i pół. Faza trzecia powoli się kończy[41].

Oczywiście, do rozstrzygnięcia pozostaje ważna kwestia: kiedy świat wkroczy w fazę czwartą? W którym

---

[41] Doskonałym źródłem różnych danych, także demograficznych, jest Our World in Data. Na ich stronie można znaleźć wykresy i informacje na temat wzrostu liczby ludności na świecie, prognoz demograficznych, współczynnika płodności, średniej długości życia i wielu innych czynników. Przykładowo: https://ourworldindata.org/world-population-growth.

momencie będzie nas najwięcej i cała planeta pójdzie w ślady Japonii? Będzie to historyczna chwila. Specjaliści określają ją mianem s z c z y t u d e m o g r a f i c z - n e g o. Po raz pierwszy od dziesięciu tysięcy lat liczba ludności na świecie przestanie wtedy rosnąć. Będzie to kamień milowy na naszej drodze do przywrócenia Ziemi stanu równowagi.

Niestety, nawet kiedy świat wkroczy w fazę czwartą, nieprędko osiągniemy szczyt demograficzny. Wyjaśnił to szwedzki demograf i statystyk Hans Rosling, który mówił o „efekcie dopełnienia"[42]. Najpierw musimy osiągnąć s z c z y t d z i e t n o ś c i, czyli moment, w którym liczba dzieci na Ziemi przestanie rosnąć. Potem będziemy musieli poczekać, aż najliczniejsze pokolenie dzieci osiągnie wiek dwudziestu paru lat i zacznie zakładać własne rodziny. Wtedy populacja zacznie się stabilizować. Krótko mówiąc, zanim liczba ludności przestanie wzrastać, musimy dotrzeć do momentu, w którym na świecie będzie najwięcej matek w historii.

Ważny jest także kolejny pozytywny trend, którego sam jestem przykładem — rosnąca długość życia. Żyjemy coraz dłużej w miarę jak nasze kraje przechodzą przez kolejne fazy rozwoju demograficznego. W fazie

---

[42] Hans Rosling był wybitnym mówcą i wykładowcą nauk społecznych. Dzieło jego życia jest dostępne dzięki Gapminder Foundation; więcej: https://www.gapminder.org. Na ich stronie można znaleźć interaktywne narzędzia i filmy o demografii i ubóstwie.

pierwszej ludzie żyli średnio około czterdziestu lat. Wpływały na to choroby, niezdrowa dieta i wysoka śmiertelność dzieci. W fazie czwartej życie wydłuża się czterokrotnie. W połowie wieku liczba osób po sześćdziesiątym piątym roku życia będzie dwa razy większa niż liczba dzieci w wieku poniżej pięciu lat. Efekt dopełnienia sprawia, że wzrost demograficzny nabierze rozpędu. Charakterystyczna dla początków ubiegłego wieku inercja już dawno przeminęła, a skoro populacja będzie tak szybko wzrastać, najprawdopodobniej nie osiągniemy w tym wieku szczytu demograficznego. W 2019 roku Wydział Ludnościowy Departamentu Gospodarki i Spraw Socjalnych ONZ opublikował najnowsze prognozy demograficzne. Zdaniem specjalistów, jeśli przejście demograficzne będzie się toczyć w przewidywalny sposób, ludzkość osiągnie szczyt demograficzny na początku dwudziestego drugiego wieku. Na świecie będzie wtedy żyło mniej więcej 11 miliardów ludzi, o 3,2 miliarda więcej niż obecnie. Krzywa zacznie się wypłaszczać mniej więcej od 2075 roku, czyli zaledwie za pięćdziesiąt pięć lat. Czy możemy coś zrobić, żeby szczyt nadszedł wcześniej i żeby nie był aż tak wysoki?

Chińczycy uważali, że potrafią tego dokonać, dlatego w 1980 roku wprowadzili politykę jednego dziecka. Pomijając kwestie moralne, trudności związane z wdrażaniem i egzekwowaniem prawa oraz problemy kulturowe i społeczne, nie ma dowodów na to, by pomysł Chińczyków zadziałał szybciej niż wzrost gospodarczy. Liczba dzieci w przeciętnej chińskiej rodzinie spadła z sześciu do zaledwie jednego, ale w tym samym czasie to samo zjawisko zaobserwowano na Tajwanie, choć nie obowiązywała tam polityka jednego dziecka. Zadziałał naturalny proces przejścia demograficznego[43]. Najwyraźniej najlepszą drogą do ustabilizowania liczby ludności jest wsparcie rozwoju gospodarczego, a co za tym idzie przyspieszenie kolejnych faz rozwoju populacji. Praktycznie rzecz biorąc, oznacza to, że powinniśmy pomóc krajom mniej rozwiniętym w jak najszybszym zrealizowaniu modelu pączka. W naszym wspólnym interesie jest wydobycie ich z ubóstwa, zbudowanie systemu służby zdrowia, szkolnictwa, rozwinięcie sieci transportowej i podniesienie bezpieczeństwa energetycznego, a także poprawienie ich atrakcyjności dla inwestorów. Należy robić wszystko, co może pozytywnie wpłynąć na życie ludzi. Jednym z najważniejszych działań, które znacząco zmniejszają liczbę dzieci w rodzinie, jest poprawa sytuacji kobiet[44]. Współczynnik urodzeń spada w krajach, w których kobiety mają prawo głosu i kontrolę nad własnym życiem, a mężczyźni nie

[43] Porównanie dzietności w Chinach i na Tajwanie zob. https://ourworldindindata.org/fertility-rate#coercive-policy-interventions.

[44] Wartościowe komentarze można znaleźć na stronach UN Women (https://www.unwomen.org/en) oraz UN Population Fund (https://www.unfpa.org).

podejmują za nie decyzji, w krajach, w których dziewczynki dłużej chodzą do szkoły, kobiety mają dostęp do opieki zdrowotnej i środków antykoncepcyjnych, mogą pracować zawodowo i realizować swoje marzenia. Powód jest prosty. Kobiety, które są wolne i mogą decydować o sobie, często wolą mieć mniej dzieci. Im szybciej poprawi się sytuacja kobiet w danym kraju, tym szybciej wejdzie on w trzecią i czwartą fazę rozwoju demograficznego.

Poprawa sytuacji kobiet może oznaczać wiele rzeczy. W niektórych wiejskich regionach Indii tylko czterdzieści procent dziewczynek, które skończyły czternaście lat, kontynuuje edukację. Często mieszkają zbyt daleko od szkoły, nie są w stanie pogodzić codziennych dojazdów z obowiązkami domowymi. Kilka organizacji pozarządowych zakupiło więc setki tysięcy rowerów, które zostały rozdane dziewczynkom. W rezultacie gwałtownie wzrosła ich frekwencja na lekcjach. Grupki nastolatek jadących przez pola do szkoły stały się powszechnym widokiem.

Badania prowadzone w Austrii przez Wittgenstein Centre dowodzą, że wzmożone wysiłki społeczności międzynarodowej, których celem jest podniesienie standardów edukacji na całym świecie, mogą wpłynąć na stan populacji[45]. W jednej ze swoich prognoz wyli-

---

[45] Szczegółowy opis stosowanej przez nich metodologii zob. https://iiasa.ac.at/web/home/research/researchPrograms/WorldPopulation/Projections_2014.html.

czyli, co się stanie, jeśli systemy szkolnictwa w najbiedniejszych krajach świata rozwiną się równie szybko, jak to się stało w najszybciej się rozwijających państwach w dwudziestym wieku. Szczyt demograficzny wystąpi wówczas już w 2060 roku, a liczba ludności wzrośnie zaledwie do 8,9 miliarda. To niesamowite odkrycie. Wystarczy zainwestować w edukację i opiekę społeczną, żeby przyspieszyć szczyt demograficzny o pięćdziesiąt lat i zmniejszyć liczbę ludności o ponad dwa miliardy. Nawet jeśli prognoza zawiera błędy, można ją potraktować jako wskazówkę. Przyszłość ludzkości będzie wyglądać bardziej optymistycznie, jeśli pomożemy teraz tym, którzy tego najbardziej potrzebują.

Wzmocnienie praw kobiet i walka z ubóstwem to najszybsze sposoby na skrócenie okresu wyżu demograficznego. Zresztą dlaczego nie mielibyśmy się zająć tymi problemami? Nie chodzi przecież tylko o to, by było nas mniej. Powinno nam zależeć na tym, by w przyszłości zapanowała sprawiedliwość. Z pewnością chcielibyśmy, żeby wszyscy ludzie mieli większe możliwości. To sytuacja, w której nie ma przegranych. Zresztą podobnie wygląda sprawa z innymi krokami, jakie musimy podjąć na drodze do zrównoważonej przyszłości. Wszystko, co powinniśmy przedsięwziąć, żeby pomóc dzikiej przyrodzie, będzie dla nas tak czy inaczej korzystne.

Szczyt demograficzny będzie ważnym wydarzeniem, kiedy już nastąpi. Nie będzie to jednak koniec podróży. Istnieją przesłanki, by sądzić, iż przejście demograficzne może mieć też fazę piątą. Populacja Japonii obecnie się zmniejsza. Najprawdopodobniej około 2060 roku będzie wynosiła sto milionów ludzi, czyli tyle, ile było mieszkańców w tym kraju w latach sześćdziesiątych dwudziestego wieku. Towarzyszy temu starzenie się społeczeństwa. Jest to problem z gospodarczego punktu widzenia. Mniejsza grupa ludzi w wieku produkcyjnym będzie musiała utrzymać większą w wieku emerytalnym. Ten proces już się rozpoczął, a Japonia, jako pierwszy kraj mierzący się z piątą fazą przejścia demograficznego, intensywnie szuka rozwiązań. Ponieważ wciąż podstawowym miernikiem rozwoju jest tam wzrost PKB, politycy nawołują społeczeństwo do płodzenia dzieci, które w przyszłości będą utrzymywać rosnącą rzeszę emerytów. Inny pomysł zakłada, że starsi ludzie wrócą do pracy. Wiele osób uważa, że kto jak kto, ale Japończycy powinni sobie poradzić z wynalezieniem robotów i sztucznej inteligencji, wspomagając w ten sposób gospodarkę. Globalny wzrost gospodarczy ulega większym wahaniom, można więc mieć nadzieję, że za jakiś czas zrezygnujemy z potrzeby ciągłego rozwoju. Może wtedy nauczymy się zachowywać równowagę przy mniejszej liczbie ludności. Skorzystają na tym wszyscy, nie tylko Japończycy.

Jeśli wspólnym wysiłkiem uda nam się poprawić sytuację życiową jak największej grupy ludzi, według optymistycznego scenariusza pod koniec wieku liczba ludności na świecie osiągnie ten sam poziom, co dzisiaj. Być może wtedy zacznie nas powoli ubywać, a społeczeństwo będzie wymagało mniej od planety, jak zwykle wspomagając się różnymi nowinkami technologicznymi.

Zanim jednak uda nam się dotrzeć do tego punktu, czeka nas długa i trudna podróż. Nie unikniemy wzrostu liczby ludności, więc decyzje, które dzisiaj podejmujemy, mają jeszcze większą wagę. Musimy się zjednoczyć, ciężko pracując na rzecz bardziej sprawiedliwego świata, by zapewnić wszystkim jego mieszkańcom przyzwoity standard życia.

ZRÓWNOWAŻONE ŻYCIE

Rewolucja zrównoważonego rozwoju, działania zmierzające do odnowienia dzikiej przyrody i ustabilizowania populacji ludzi bez wątpienia pomogą nam odbudować harmonijne związki ze środowiskiem naturalnym. W jaki sposób wpłyną jednak na życie każdego z nas? W przyszłości, kiedy na świecie zapanuje równowaga, a nasz gatunek będzie sobie świetnie radził, przejdziemy na dietę roślinną, uzupełnianą zdrowszymi odpowiednikami mięsa. Będziemy korzystać z czystej energii. Banki i fundusze emerytalne ograniczą się do inwestowania w firmy przyjazne dla środowiska. Jeśli się zdecydujemy na dzieci, mocno ograniczymy ich liczbę. Kupując drewno albo produkty spożywcze, zwłaszcza ryby i mięso, będziemy dokonywać świadomego wyboru, ponieważ każdy produkt zaopatrzony będzie w szczegółowy opis. Ilość śmieci spadnie. Emisja dwutlenku węgla, zresztą bardzo niska, będzie równoważona przez absorpcję, zwiększaną dzięki opłatom offsetowym, wliczonym w cenę wszystkich towarów i trafiającym do organizacji wspierających odnowę dzikiej przyrody.

Prawdę mówiąc, będzie nam wtedy łatwiej dbać o środowisko niż teraz. Politycy i przedsiębiorcy zdążą już wprowadzić odpowiednie produkty i założyć organizacje, które nam w tym pomogą. Porozmawiajmy, na przykład, o śmieciach. Pamiętam czasy, kiedy przedmioty nie były przeznaczone do jednorazowego użytku. Naprawialiśmy to, co się zepsuło, prawie nie stosowaliśmy plastiku i nie marnowaliśmy jedzenia. Współczesna maniera pozbywania się rzeczy (chociaż na planecie, która ma granice, tak naprawdę nie można się niczego pozbyć) jest stosunkowo nowym konceptem. Pomijając fakt, że wyrzucanie to marnotrawstwo, góry śmieci mają bardzo szkodliwy wpływ na środowisko. Przyroda mierzy się z podobnymi problemami, nie byłoby więc od rzeczy skopiowanie stosowanych przez nią rozwiązań. W świecie istot żywych odpady stają się pożywieniem. Wszystko jest przetwarzane i ostatecznie ulega biodegradacji, a w proces zaangażowanych jest wiele różnych gatunków.

Badacze zajmujący się gospodarką obiegu zamkniętego, na przykład pracownicy Fundacji Ellen MacArthur[46], szukają sposobów na to, by te metody wprowadzić do naszych społeczeństw. Podstawą będzie rezygnacja z obecnego modelu, który można podsumować słowami: „weź, wytwórz, użyj, wyrzuć" i zastąpienie go nowym, który będzie oparty na recyklingu wszystkich materiałów. Z ich rozważań jasno wynika, że my, ludzie, żyjemy według dwóch odrębnych cykli. Wszystko, co ulega biodegradacji — żywność, drewno, ubrania z naturalnych tkanin — stanowi część cyklu biologicznego. Wszystko inne, czyli plastik, tkaniny syntetyczne lub metal, bierze udział w cyklu technicznym. Musimy zacząć ponownie wykorzystywać surowce, które biorą udział w obu cyklach, na przykład włókna węglowe albo tytan. Trzeba tylko wymyślić, jak to zrobić.

---

[46] Fundacja Ellen MacArthur dąży do wywołania dyskusji i sprowokowania działań, które doprowadzą do wprowadzenia gospodarki obiegu zamkniętego. Ich strona (https://www.ellenmacarthurfoundation. org) zawiera mnóstwo informacji i pomysłów. Ciekawą lekturą jest też książka Kate Raworth *Doughnut Economics*. Można w niej znaleźć rozważania na temat możliwości wprowadzenia takiego systemu.

Kluczowym elementem cyklu biologicznego jest marnowanie żywności. Jak już wiemy, jej produkcja wiąże się z wylesianiem, stosowaniem nawozów sztucznych i pestycydów. Transport oznacza spalanie paliw kopalnych. Jedzenie jest drogie, więc wielu ludzi nie stać na zdrową dietę. Mimo to wyrzucamy jedną trzecią światowej produkcji żywności[47]. W uboższych krajach o słabo rozwiniętej infrastrukturze większość odpadów powstaje, zanim jeszcze trafią na sklepowe półki. Ich przyczyną są straty rolnicze, zniszczenia i złe przechowywanie. Kraje zamożne marnują więcej żywności, która już została wytworzona. Część się odrzuca ze względu na drobne wady i niedoskonałości, część to niesprzedane towary, a część po prostu nie została zjedzona. Rozsądniejsze społeczeństwo udoskonaliłoby infrastrukturę i system przechowywania. Nadwyżkami żywności można by karmić bydło albo owady, hodowane na karmę dla ryb i innych zwierząt. Niektóre odpady, zwłaszcza te o wyższej zawartości błonnika, takie jak skorupki orzechów, można połączyć z odpadami z tartaków i wykorzystywać do

---

[47] Raport Organizacji Narodów Zjednoczonych do spraw Wyżywienia i Rolnictwa z 2019 roku, *The State of Food and Agriculture*, zawiera obszerne studium marnowania żywności na świecie, a także przegląd sposobów ograniczenia tego zjawiska. Nowy raport WWF, WWF–WRAP (2020), *Halving Food Loss and Waste in the EU by 2030: The Major Steps Needed to Accelerate Progress* (https://wwfeu.awsassets. panda.org/downloads/wwf_wrap_halvingfoodlossandwasteintheeu_ june2020__2_.pdf) daje konkretne wskazówki w kwestii ograniczenia odpadów.

produkcji biopaliw. W ten sposób można by również zadbać o sekwestrację dwutlenku węgla. Odpady organiczne mogłyby być poddane działaniu temperatury w warunkach beztlenowych. W rezultacie powstałby b i o w ę g i e l, który można wykorzystywać jako budulec, paliwo albo naturalny nawóz, który wzbogaciłby glebę i zatrzymał w niej węgiel.

Cykl techniczny mógłby zostać udoskonalony przez zmiany na etapie projektowania produktów. Firmy wytwarzające rzeczy z plastiku, materiałów syntetycznych i metali powinny zadbać o ich trwałość, nie dopuszczając do tego, by wszystko psuło się po kilku latach. Mogłyby umożliwić łatwy rozbiór urządzeń na części, które można by wymontowywać, naprawiać i udoskonalać. Linie produkcyjne powinny być ustandaryzowane, tak żeby poszczególne elementy mogły być wytwarzane przez różne firmy i stosowane zamiennie. Każdy produkt musiałby też być stworzony z materiałów pochodzących z odpowiedniego źródła. Powinien też istnieć plan dalszego wykorzystania każdej części. Niektórzy uważają, że gospodarka obiegu zamkniętego umożliwiłaby budowę zupełnie nowych relacji między klientami a producentami. Niewykluczone, że zamiast kupować wypożyczalibyśmy telewizory i pralki, a firmy dbałyby o naprawę sprzętu i recykling.

Materiały i substancje, których nie dałoby się poddać ponownej obróbce albo które byłyby niebezpieczne dla środowiska, z czasem zniknęłyby całkiem z obiegu.

Najważniejsza byłaby rezygnacja z wodorofluorowęglowodorów (HFC), które są czynnikami chłodniczymi wykorzystywanymi w lodówkach i klimatyzatorach. Jeśli wyciekną z wyrzuconych na śmieci sprzętów, do atmosfery przedostanie się sto gigaton dwutlenku węgla. W 2016 roku podpisano międzynarodowe porozumienie, które wprowadza możliwość bezpiecznego przetworzenia ich na inne substancje[48].

Celem gospodarki obiegu zamkniętego jest budowa świata bez zanieczyszczeń, świata, w którym plastik nie pływa w morzu, z kominów nie unosi się toksyczny dym, nikt nie pali opon, nie ma wycieków ropy. Niewykluczone, że udałoby się nawet odwrócić dzisiejsze marnotrawstwo. Wysypiska śmieci stałyby się kopalniami, wydobywalibyśmy z nich przydatne surowce. Wyłowilibyśmy mikroplastik z oceanów i wykorzystali go do budowy farm morskich. W miarę jak zmienia się nasze podejście do korzystania z zasobów planety, coraz więcej ludzi zaczyna wierzyć w to, że możliwa jest całkowita eliminacja śmieci i przetwarzanie surowców w sposób imitujący naturalny obieg materii w przyrodzie.

---

[48] W 2016 roku sto siedemdziesiąt krajów podpisało poprawki z Kigali do protokołu montrealskiego, zobowiązując się tym samym do zmiany procedur i stopniowego wycofania HFC z użytkowania. Project Drawdown umieszcza to na pierwszym punkcie swojej liczącej osiemdziesiąt pozycji listy rozwiązań, które pomogą w walce ze zmianami klimatycznymi. Szacuje się, że pozwoli to zapobiec uwolnieniu do atmosfery dziewięćdziesięciu gigaton gazów cieplarnianych.

Kolejną kwestią jest to, gdzie będziemy mieszkać. Zgodnie z prognozami do roku 2050 sześćdziesiąt osiem procent ludzi będzie mieszkać w miastach. Jakiś czas temu specjaliści uważali, że miasta to najgorsza zmora naszej planety. Są wiecznie zakorkowane, zanieczyszczone, a ich mieszkańcy są nastawieni konsumpcyjnie i zostawiają duży ślad ekologiczny. Z czasem jednak okazało się, że dzięki zagęszczeniu mieszkańców środowisko miejskie ma duży potencjał, jeśli chodzi o zrównoważony rozwój. Planiści uczą się przystosowywać ulice do ruchu rowerowego i pieszego. Transport publiczny może być wydajny, łatwo też wprowadzić rozwiązania ograniczające emisję. Niektóre miasta, na przykład Kopenhaga, wprowadzają w dzielnicach nowoczesne systemy centralnego ogrzewania zasilane energią geotermalną i biopaliwami produkowanymi z miejskich odpadów. Pozwolenia na budowę wysokich, luksusowych biurowców można wydawać pod warunkiem, że deweloper spełni wysokie standardy energetyczne i zastosuje nowoczesną izolację termiczną. To wszystko sprawia, że miastowi zostawiają często niższy ślad węglowy niż mieszkańcy terenów wiejskich.

Duże miasta mają wiele powodów, by wprowadzać kolejne zmiany. Włodarze metropolii zdają sobie sprawę z tego, że konkurują o najbardziej utalentowanych specjalistów. Jednym z najlepszych sposobów na przyciągnięcie ludzi do danego miasta jest zazielenienie go i uczynienie jak najprzyjemniejszym. Zieleń miejska nie jest tylko przestrzenią do spędzania wolnego czasu. Rośliny schładzają okolicę w upalne dni, oczyszczają powietrze i korzystnie wpływają na samopoczucie mieszkańców. Miasta powiększają więc parki, zakładają aleje i wspierają tworzenie zielonych dachów i ścian pokrytych kaskadami roślin. W Paryżu zieleń porasta około sześciuset hektarów dachów i ścian. W niektórych chińskich miastach wzdłuż rzek tworzy się bagna, które wchłaniają nadmiar wody, pomagając w ten sposób w walce z powodziami, i są miejscem rekreacji. Londyn zamierza zostać pierwszym na świecie miastem-parkiem narodowym. Obszary zielone mają zająć ponad połowę powierzchni miasta, dzięki czemu londyńczycy będą żyć bliżej przyrody, bardziej zdrowo i ekologicznie.

Singapur zamierza stać się miastem w ogrodzie. Deweloperzy stawiający nowe budynki muszą zastąpić wycinaną pod budowę zieleń roślinami sadzonymi nad ziemią. Dzięki temu w mieście powstały już dziesiątki budynków zaprojektowanych z myślą o pokryciu ich roślinnością. Jest wśród nich szpital, który cieszy się dużo wyższą skutecznością w leczeniu, najprawdopodobniej dzięki temu, że pacjenci przebywają wśród zieleni. Wszystkie singapurskie parki połączy sieć zielonych korytarzy, a sto hektarów najlepszych terenów zostało zamienione w zbiorniki wodne i ogród. Postawiono w nim pięćdziesięciometrowe sztuczne

„superdrzewa", zasilane energią słoneczną, które zbierają deszczówkę i oczyszczają powietrze.

Biolożka Janine Benyus, współzałożycielka Biomimicry Institute, zachęcając do szukania nowych rozwiązań, rzuciła wszystkim miastom wyzwanie. Stwierdziła, że skoro miasta zbudowano na terenie dawniej zajmowanym przez przyrodę, powinny one świadczyć środowisku przynajmniej takie same usługi, jakie świadczyłby dany obszar w zakresie produkcji energii słonecznej, użyźniania gleb, oczyszczania powietrza, magazynowania wody, wiązania dwutlenku węgla i podtrzymywania bioróżnorodności. Wielu architektów postanowiło podjąć wyzwanie. Najlepsze, najbardziej zrównoważone budynki powstające obecnie generują energię odnawialną, usuwają smog, oczyszczają swoje ścieki, przerabiając je na kompost, a także są siedliskiem wielu gatunków roślin i zwierząt. Być może w przyszłości miasta będą więcej dawać niż brać.

Co by nie mówić, tak właśnie powinno wyglądać zrównoważone życie. Kiedy ludzkość będzie w stanie oddawać przyrodzie przynajmniej tyle, ile bierze, i spłaci część długu, może zapanuje równowaga. Na całym świecie można już zaobserwować przykłady tego podejścia. Żylibyśmy w zgodzie z przyrodą, gdyby wszystkie państwa zaczęły wzorować się na Nowej Zelandii i wprowadziły system trzy P, dbając jednocześnie o zysk, ludzi i planetę, albo zadbały o japoński standard życia, zapoczątkowały rewolucję odnawialną jak Maroko, zarządzały morzem tak sprawnie jak Palau, przekształciły rolnictwo na wzór holenderski, ograniczyły spożycie mięsa jak mieszkańcy Indii, odtworzyły lasy niczym Kostaryka albo zazieleniły miasta jak Singapur. Działania muszą jednak objąć cały świat, a państwa z największym śladem ekologicznym muszą wprowadzić najpoważniejsze zmiany. Jeśli wspólnie nie podejmiemy wyzwania, nie uda nam się. Niektóre rządy są jeszcze niechętne. Podczas rozmów o zrównoważonym rozwoju łatwo zapomnieć o tym, co możemy zyskać, skupiając się tylko na potencjalnych stratach. A przecież równowaga przyniesie mnóstwo korzyści. Kiedy uniezależnimy się od węgla i ropy i przejdziemy na energię odnawialną, będziemy mieć czystsze powietrze i wodę, tańszy prąd i cichsze, bezpieczniejsze miasta. Kiedy przestaniemy łowić na pewnych obszarach, oceany staną się zdrowsze, pomogą nam w walce ze zmianami klimatycznymi i po jakimś czasie dostarczą dużo więcej ryb. Rezygnując z mięsa, staniemy się sprawniejsi i zdrowsi, a w kieszeni zostanie nam więcej pieniędzy. Oddając tereny rolne przyrodzie, zyskamy możliwość niezwykle przyjemnego i pobudzającego obcowania z naturą zarówno w najbliższym otoczeniu, jak i na krańcach świata. Rezygnując z kontrolowania wszystkiego, odzyskamy stabilną planetę, którą będziemy mogli przekazać kolejnym pokoleniom.

Mamy wszystko, co trzeba, żeby zapewnić sobie taką przyszłość. Mamy plan. Wiemy, co robić. Znamy ścieżkę do zrównoważonej egzystencji. Prowadzi do lepszego świata. Musimy uświadomić polityków i przedsiębiorców, że to rozumiemy, że ta przyszłość nie tylko jest nam potrzebna, ale przede wszystkim jest czymś, czego pragniemy.

Największa szansa

Urodziłem się w innych czasach. To nie jest przenoś-nia. Kiedy przyszedłem na świat, trwał holocen, ale odejdę w okresie antropocenu, jak wszyscy, którzy żyją w tej chwili.

Nazwę antropocen zaproponowała grupa geologów w 2016 roku*. Geologia od dawna dzieli historię Ziemi na epoki. Każdą charakteryzują konkretne cechy w kolejnych warstwach osadów, np. brak skamieniałych szczątków gatunków, które występowały wcześniej, i pojawienie się nowych.

Z pewnością da się to zaobserwować w skałach, które tworzą się teraz. Będzie w nich mniej gatunków niż we wcześniejszych warstwach, da się też zauważyć całkiem nowe elementy — kawałki plastiku, cząsteczki plutonu z prób jądrowych, a także kości kurczaków, które będzie

---

* Pojęcie antropocenu pojawiło się w nauce w drugiej połowie dwudziestego wieku. Na przełomie dwudziestego i dwudziestego pierwszego stulecia zostało spopularyzowane przez specjalistę od nauk atmosferycznych Paula Crutzena, a obecnie trwa dyskusja w Międzynarodowej Komisji Stratygraficznej nad oficjalnym przyjęciem tej nazwy dla aktualnej epoki geologicznej (przyp. konsultanta wyd. polskiego).

można znaleźć w każdym miejscu planety. Specjaliści uważają, że nowa epoka zaczęła się w połowie dwudziestego wieku i że powinno się ją nazwać antropocenem, ponieważ jej charakter ukształtowała działalność ludzka.

Termin, który dla geologów był po prostu wynikiem codziennej pracy, zyskał całkiem nowe znaczenie. Wiele osób odczytuje go jako ostrzeżenie i zapowiedź niepokojących zmian. Nasz gatunek stał się tak potężny, że wpływa na całą planetę. Niewykluczone, że antropocen okaże się bardzo krótką epoką i zakończy zagładą ludzkiej cywilizacji.

Nie musi tak być. Nadejście antropocenu może zapoczątkować całkiem nową, zrównoważoną relację ludzi z Ziemią. Może właśnie w tych nowych czasach nauczymy się współpracować z przyrodą zamiast z nią walczyć i przestaniemy rozgraniczać to, co naturalne, od tego, nad czym panujemy. Możemy stać się troskliwymi gospodarzami całej planety, wykorzystując niesamowitą odporność środowiska naturalnego i przywracając ginącą bioróżnorodność.

Sami musimy odpowiedzieć sobie na pytanie, jak będzie wyglądał antropocen. Ludzie są bardzo pomysłowi, ale mają skłonność do konfliktów. Podręczniki do historii są pełne opowieści o wojnach i sporach o dominację. Nie możemy tego dalej ciągnąć. Stoimy w obliczu globalnych zagrożeń, nie poradzimy sobie z nimi, jeśli wszystkie narody nie zapomną o tym, co je dzieli, i się nie zjednoczą.

Istnieją już precedensy. W 1986 roku kraje posiadające floty wielorybnicze zgodnie stwierdziły, że rzeź tych niezwykłych zwierząt musi się zakończyć, jeśli nie chcemy, by wszystkie wieloryby wyginęły.

Być może część delegatów przystała na to tylko dlatego, że liczebność wielorybów tak spadła, że polowania stały się nieopłacalne. Bez wątpienia jednak niektórzy ulegli naciskom obrońców przyrody i naukowców. Decyzja nie była bynajmniej jednogłośna, a spory nadal trwają. Mimo to w 1994 roku na pięćdziesięciu milionach kilometrów kwadratowych Oceanu Południowego utworzono Międzynarodowe Sanktuarium Wielorybów. W rezultacie wielorybów jest dziś więcej niż kiedykolwiek za naszego życia. Ważny element skomplikowanego ekosystemu został przynajmniej częściowo przywrócony.

W latach siedemdziesiątych dwudziestego wieku w środkowej Afryce żyło już tylko trzysta goryli górskich. Dzięki transgranicznym porozumieniom, a także odwadze i ciężkiej pracy miejscowych strażników, jest ich teraz ponad tysiąc.

Kiedy chcemy, potrafimy więc współpracować na arenie międzynarodowej. Czekają nas jednak wyzwania, które nie dotyczą tylko grup zwierząt. Musimy zawalczyć o całą przyrodę. Konieczne będzie powołanie niezliczonych komitetów i organizacja wielu konferencji. Trzeba będzie podpisać mnóstwo traktatów. Prace już się zaczęły, nadzoruje je ONZ. Odbywają się

konferencje, w których uczestniczą dziesiątki tysięcy ludzi. Jeden cykl wydarzeń dotyczy niepokojącego
tempa ocieplania się klimatu i potencjalnych konse-
kwencji tego zjawiska. Inny skupia się na ochronie
bioróżnorodności, od której zależy cała sieć życia.

Nie sposób wyobrazić sobie trudniejsze zadanie.
Musimy je wspierać na wszelkie możliwe sposoby. Powinniśmy nakłaniać polityków w kraju i za granicą do
podejmowania wspólnych decyzji, a czasem do przed-
łożenia większego dobra nad interes narodowy. Przyszłość ludzkości zależy od powodzenia tych spotkań.

Często mówimy o ratowaniu planety, ale tak naprawdę robiąc to, ocalimy samych siebie. Z nami czy
bez nas, dzika przyroda powróci. Dowodzi tego cho-
ciażby przykład Prypeci, modelowego miasta, które
zostało opuszczone po wybuchu reaktora w Czarnobylu. Wystarczy wyjść z pustego, ciemnego korytarza
któregoś bloku, by zobaczyć coś naprawdę zaskaku-
jącego. Mieszkańców ewakuowano trzydzieści cztery lata temu. W tym czasie las przejął opustoszałe
miasto. Krzewy rozsadziły beton, a bluszcz poprze-
suwał cegły. Dachy zapadły się pod ciężarem listo-
wia, a młode topole i osiki wyrosły między płytami
chodnika. Kilkumetrowe dęby, sosny i klony ocie-
niają ogrody, parki i aleje. Pod nimi widać dziwny
gąszcz róż i drzew owocowych. W miejscu dawnego
boiska, trzydzieści cztery lata temu zamienionego
na lądowisko dla śmigłowców, którymi ewakuowano

mieszkańców, wyrósł gęsty zagajnik. Przyroda wróciła na swój teren.

Cały obszar, łącznie z zabudowaniami reaktora, został objęty ochroną. Żyją tam gatunki, które gdzie indziej stają się coraz rzadsze. Fotopułapki umieszczone w oknach zarejestrowały mnóstwo lisów, łosi, jeleni, dzików, żubrów, niedźwiedzi i szopów. Kilka lat temu wypuszczono tu kilka koni Przewalskiego — gatunek ten już prawie wyginął. Ich liczebność wzrasta. Pojawiły się wilki, nie ma tu myśliwych, więc mogą czuć się bezpiecznie. Wygląda na to, że przyroda naprawi nawet nasze najpoważniejsze błędy, jeśli tylko jej to umożliwimy. Planeta przetrwała poprzednie masowe wymierania gatunków. Nie możemy jednak założyć, że uda się to ludziom. Osiągnęliśmy bardzo wiele, bo jesteśmy najbardziej inteligentnym gatunkiem, jaki kiedykolwiek zamieszkiwał Ziemię, ale jeśli nie chcemy wyginąć, będziemy potrzebowali czegoś więcej niż tylko inteligencji. Niezbędna będzie mądrość.

Homo sapiens, czyli człowiek myślący, musi zacząć uczyć się na błędach i stać się godnym własnej nazwy gatunkowej. To zadanie przypadło nam — wszystkim, którzy żyjemy obecnie. Nie wolno nam tracić nadziei. Mamy wszystko, co trzeba — rozum i pomysły miliardów niezwykłych ludzi, a także niezmierzoną energię naturalnego świata. I jeszcze coś, czego nie ma prawdopodobnie żaden inny gatunek — wizję przyszłości i wiedzę na temat drogi, która nas do niej doprowadzi.

Jeszcze nie jest za późno. Możemy wszystko naprawić, ograniczyć wpływ na przyrodę, zmienić kierunek naszego rozwoju i przywrócić harmonijną relację z przyrodą. Musimy tylko chcieć. Mamy tylko kilkadziesiąt lat, by zbudować sobie bezpieczny dom i przywrócić cudowny, różnorodny i zdrowy świat, który odziedziczyliśmy po przodkach. Stawką jest nasza przyszłość na Ziemi — w jedynym znanym nam miejscu, w którym istnieje życie.

SŁOWNICZEK

AKWAKULTURA (FARMY RYBNE)
Hodowla i pozyskiwanie ryb, skorupiaków, wodorostów i innych organizmów wodnych. Istnieją dwa główne rodzaje akwakultury: słodkowodna i słonowodna.

ALTERNATYWNE ŹRÓDŁA BIAŁKA
Ogólny termin oznaczający roślinne lub wyprodukowane z użyciem technologii produkty, które mogą być zamiennikami białka zwierzęcego, na przykład białko ze zbóż i roślin strączkowych, orzechów, nasion, alg i owadów, a także czyste mięso. Ponieważ do ich produkcji nie jest konieczna przemysłowa hodowla zwierząt lub ryb, ich wpływ na środowisko jest znacznie mniejszy. Nie budzą też tylu wątpliwości natury etycznej.

ANTROPOCEN
Proponowana nazwa epoki geologicznej, której dominującą cechą jest działalność ludzka i jej wpływ na klimat i środowisko. Trwają debaty odnośnie do

początków antropocenu. Wielu naukowców uważa, że graniczną dekadą są lata pięćdziesiąte dwudziestego wieku, ponieważ w wyniku prowadzonych wówczas testów broni jądrowej w przyszłości w warstwach skalnych z tego okresu będzie można znaleźć cząsteczki plastiku i izotopy radioaktywne.

BIOENERGIA (ENERGIA Z BIOMASY)

Odnawialna energia wytwarzana z substancji pochodzących ze świata przyrody ożywionej. Wśród paliw, z których można wytworzyć bioenergię, jest drewno i szybko rosnące zboża, na przykład kukurydza, soja, miskanty i trzcina cukrowa. Biomasę można spalać, wytwarzając przy tym prąd, albo przerabiać na biopaliwa, które mają zastosowanie w transporcie.

BIORÓŻNORODNOŚĆ (RÓŻNORODNOŚĆ BIOLOGICZNA)

Termin ten jest próbą ujęcia całej rozmaitości form życia na Ziemi. Dotyczy mnogości gatunków zwierząt, roślin, grzybów i mikroorganizmów takich jak bakterie, a także liczby osobników każdego z tych gatunków. Szerzej rzecz ujmując, bioróżnorodność naszej planety zawiera w sobie nie tylko miliony gatunków i miliardy osobników, ale także biliony cech, które ma każdy z nich. Większa bioróżnorodność umożliwia biosferze lepsze radzenie sobie ze zmianami, pozwala zachować równowagę i podtrzymuje istnienie życia.

BIOWĘGIEL

Substancja, która przypomina węgiel (minerał), ale powstaje z resztek materii organicznej, poddanej działaniu wysokiej temperatury w warunkach beztlenowych. Trwają badania nad wykorzystaniem go do sekwestracji dwutlenku węgla. Może być wykorzystywany jako materiał budowlany albo jako biopaliwo, użyźnia glebę i pomaga jej zatrzymać wodę.

BUDŻET WĘGLOWY

Całkowita ilość dwutlenku węgla, którą możemy wypuścić do atmosfery, utrzymując przy tym temperaturę na powierzchni Ziemi na określonym poziomie. Opóźnienia w ograniczaniu emisji gazów cieplarnianych sprawią, że szybciej zużyjemy nasz budżet węglowy, ryzykując przy tym jeszcze szybsze ocieplanie się klimatu.

CIĄGŁY WZROST

Założenie leżące u podstaw gospodarki, zgodnie z którym produkt krajowy brutto będzie wiecznie rósł. Okazuje się jednak, że gospodarki wielu państw odnotowują bardzo niewielki wzrost PKB, między zero a dwa procent rocznie. Oczywiście, tak czy inaczej jest to wzrost.

CYRKULACJA LASU

Zmiany w korzystaniu z danego obszaru lasu zachodzące w miarę rozwoju społeczeństwa. Kiedy jest ono mało rozwinięte, las dominuje. Z czasem dana społeczność rośnie, produkuje więcej żywności i zaczyna wycinać drzewa. Coraz bardziej wydajne metody rolnicze i emigracja ludności do miast prowadzą do reforestacji. Proces ten zaobserwowano już w przypadku kilku państw, a zdaniem niektórych specjalistów cyrkulacja lasu występuje także w skali globalnej.

CZYSTE MIĘSO

Mięso przeznaczone do spożycia, wyprodukowane w warunkach *in vitro*, w wyniku hodowli komórek zwierzęcych. Jego produkcja nie wymaga zabijania zwierząt. Jest formą rolnictwa komórkowego. Z badań wynika, że może okazać się dużo bardziej wydajna i przyjazna dla środowiska niż tradycyjna hodowla. Produkcja czystego mięsa zużywa o wiele mniej zasobów takich jak przestrzeń, energia i woda, generuje o wiele mniejszą emisję gazów cieplarnianych i nie budzi tylu wątpliwości natury etycznej.

DIETA ROŚLINNA (NUTRITANIZM)

Dieta złożona głównie lub wyłącznie z produktów roślinnych. Produkty pochodzenia zwierzęcego są wykluczone lub mocno ograniczone. Jest bardziej zrównoważona niż przeciętne diety oparte na mięsie, ponieważ do produkcji roślin wykorzystuje się mniejszą powierzchnię gruntów i zużywa mniej wody, co wiąże się też z niższą emisją gazów cieplarnianych.

DZIKIE FARMY

Rolnictwo połączone z zadziczaniem. Polega na hodowli zwierząt, które tworzą społeczność przypominającą naturalną. Przemieszczają się bez przeszkód po całym terenie i nie są dokarmiane. Ich liczbę ogranicza pojemność środowiska. Wprowadzenie ich wywołuje kaskadę troficzną, prowadząc do wzrostu bioróżnorodności.

EFEKT ROZLANIA (SPILL-OVER EFFECT)

Zjawisko polegające na tym, że wzrost bioróżnorodności na jakimś obszarze rozszerza się na tereny sąsiadujące. Można je zaobserwować w wodach otaczających morskie obszary chronione, które zasiedlane są przez ryby odradzające się na terenie chronionym.

EKOLOGIA

Dziedzina biologii, która bada interakcje między organizmami, a także między organizmami a środowiskiem.

FAZA WZROSTU WYKŁADNICZEGO

Na krzywej wzrostu jest to okres gwałtownego przyrastania. Wzrost wykładniczy to wzrost charakteryzujący się podwajaniem wielkości w jednakowych okresach czasu (np. 1–2–4–8–16–32...).

FAZA ZASTOJU

Początkowa faza wzrostu, zwana też fazą adaptacyjną. W tym okresie następuje tylko bardzo nieznaczny wzrost, ponieważ istnieją różne czynniki ograniczające.

FITOPLANKTON

Mikroskopijne organizmy występujące powszechnie w powierzchniowych wodach oceanu i zdolne do fotosyntezy. Fitoplankton tworzy podstawę wielu morskich łańcuchów pokarmowych.

GAZY CIEPLARNIANE

Gazy, które zatrzymują promieniowanie słoneczne, wywierając w ten sposób wpływ na efekt cieplarniany, ponieważ tworzą coś w rodzaju koca, który otula Ziemię i utrzymuje temperaturę na wysokim poziomie. Zaliczamy do nich parę wodną, dwutlenek węgla, metan, podtlenek azotu i ozon. Wskutek działalności ludzkiej stężenie niektórych gazów cieplarnianych, takich jak dwutlenek węgla, metan i podtlenek azotu, w atmosferze wzrosło, prowadząc do zmian klimatycznych.

GEOINŻYNIERIA (INŻYNIERIA KLIMATYCZNA)

Różne techniki wprowadzania wielkoskalowych modyfikacji systemu Ziemi, które mają złagodzić lub powstrzymać zmiany klimatyczne. Niektóre dotyczą usuwania gazów cieplarnianych z atmosfery, na przykład przez wprowadzenie związków żelaza do oceanów, co zwiększa produktywność fitoplanktonu, a tym samym poprawia sekwestrację dwutlenku węgla w wodzie. Inne metody mają na celu zarządzanie promieniowaniem słonecznym, a konkretnie ograniczenie docierającej do Ziemi energii Słońca, na przykład za pomocą aerozoli rozpylanych w stratosferze. Drobiny miałyby odbijać część promieniowania, redukując tym samym globalne ocieplenie. Geoinżynieria jest często krytykowana za proponowanie nieprzetestowanych metod, które mogą być groźne dla nas i dla środowiska.

GOSPODARKA OBIEGU ZAMKNIĘTEGO
System gospodarczy, którego celem jest eliminacja odpadów i wielokrotne wykorzystywanie tych samych surowców. Zakłada dzielenie się zasobami, używanie produktów po wielokroć, naprawianie, przerabianie i przetwarzanie w cyklu zamkniętym. Wszystkie odpady są surowcem, w przeciwieństwie do tradycyjnej gospodarki linearnej, która opiera się na modelu „weź — wytwórz — użyj — wyrzuć".

GRANICE PLANETARNE
Koncepcja stworzona między innymi przez Johana Rockströma i Willa Steffena, naukowców badających Ziemię jako system. Jej celem jest zdefiniowanie bezpiecznej przestrzeni działania dla ludzkości. Zgromadzili dane z różnych źródeł i określili dziewięć czynników, które wpływają na stabilność systemu planety. Obliczyli też wpływ działalności ludzkiej na te czynniki i określili wartości graniczne. Ich przekroczenie może

zapoczątkować katastrofalne w skutkach zmiany. Czynników jest dziewięć: spadek bioróżnorodności, zmiany klimatyczne, zanieczyszczenia chemiczne, niszczenie warstwy ozonowej, zanieczyszczenie atmosfery aerozolami, zakwaszenie oceanów, zaburzenie obiegu azotu i fosforu, zużycie zasobów słodkiej wody i przekształcanie dzikich terenów w pola uprawne. Dwa z tych czynników zostały uznane za kluczowe — zmiany klimatyczne i spadek bioróżnorodności, ponieważ wpływają na nie wszystkie pozostałe, a jeśli ich wartości graniczne zostaną przekroczone, mogą same doprowadzić do destabilizacji całego systemu. Zdaniem naukowców ludzkość przekroczyła już cztery ograniczenia — dotyczące klimatu, bioróżnorodności, przeznaczania gruntów pod uprawy i cyklu azotu i fosforu. Z badań wynika, że system naszej planety nie jest już stabilny.

HOLOCEN
Epoka geologiczna, która zaczęła się mniej więcej jedenaście tysięcy siedemset lat temu, po ostatnim zlodowaceniu. W tym zaskakująco stabilnym okresie ludzkość gwałtownie się rozwinęła. Przyczyniło się do tego wynalezienie rolnictwa.

HYDROPONIKA
Bezglebowa uprawa roślin na pożywkach wodnych. Jedną z jej głównych zalet jest to, iż wymaga mniejszej ilości wody niż tradycyjne uprawy.

KASKADA TROFICZNA

Zmiana na jednym poziomie piramidy troficznej, która wywołuje efekt domina i prowadzi do licznych zmian na innych poziomach. Przykładem może być usunięcie z ekosystemu drapieżników. Radykalnie zmieni to strukturę ekosystemu, a co za tym idzie, także krajobrazu. Gdy znikają wilki, rośnie populacja jeleni, które hamują naturalną reforestację. Reintrodukując drapieżniki, możemy wywołać kaskadę troficzną, która doprowadzi do wzrostu bioróżnorodności. Zaobserwowano to po reintrodukcji wilka do parku narodowego Yellowstone.

KULTURA

Z biologicznego punktu widzenia kultura jest zbiorem zachowań, nawyków i umiejętności, które w świecie zwierząt przechodzą z pokolenia na pokolenie, nie za pośrednictwem genów, ale przez naśladownictwo. W tym sensie jest czymś paralelnym do dziedzictwa genetycznego i również podlega ewolucji. Przejawy kultury zaobserwowano u kilku gatunków, na przykład u szympansów, makaków i delfinów butlonosych. W przypadku ludzi ewolucja kultury jest obecnie dominującą formą ewolucji.

LAS PASTWISKOWY

Jedna z wielu technik rolnictwa regeneracyjnego. Polega na wypasaniu zwierząt hodowlanych pod drzewami albo wręcz w lesie. Pozytywnie wpływa to na zdrowie i ogólną kondycję zwierząt, ponieważ drzewa zapewniają im schronienie i umożliwiają aktywne poszukiwanie pożywienia.

MASOWE WYMIERANIE

Gwałtowny i powszechny spadek bioróżnorodności, obejmujący zanik co najmniej trzech czwartych gatunków. Większość naukowców jest zdania, że masowe wymieranie wystąpiło już przynajmniej pięć razy. Jedno z nich doprowadziło do wyginięcia dinozaurów.

MIKROSIECI ELEKTROENERGETYCZNE

Lokalna grupa źródeł energii, które mogą działać w ramach sieci lub niezależnie. Pracując jako całość, są bardziej wydajne i lepiej sobie radzą ze zwiększonym popytem na prąd niż pojedyncze generatory. Zyskują popularność, ponieważ korzystanie z energii odnawialnej i generowanie własnego prądu staje się coraz tańsze.

MODEL PĄCZKA

Model oparty na koncepcji ograniczeń planety. Zaproponowała go ekonomistka z Oksfordu Kate Raworth. Uwzględnia on zarówno podstawowe potrzeby społeczne, jak i sufit ekologiczny, wyznaczając tym samym granice bezpiecznej i sprawiedliwej społecznie przestrzeni dla ludzkości. Nie wolno nam przebić sufitu ekologicznego, ale musimy przy tym uwzględniać dobrostan każdego człowieka. Jest podstawą koncepcji zrównoważonego rozwoju.

MORSKIE OBSZARY CHRONIONE

Objęte ochroną obszary mórz i oceanów. Działalność ludzka jest tam ograniczona, dotyczy to zwłaszcza rybołówstwa. Całkowity zakaz połowów obowiązuje w strefach szczególnie chronionych. Obecnie na świecie jest siedemnaście tysięcy morskich obszarów chronionych, obejmują trochę ponad siedem procent całkowitej powierzchni oceanów.

OBSZAR CHRONIONY

Obszar, którego celem jest ochrona naturalnego siedliska, albo — w tej książce — obszar objęty ochroną, którym zarządza lokalna społeczność w sposób zrównoważony i korzystny pod względem ekonomicznym.

ODNAWIALNE ŹRÓDŁA ENERGII

Energia pozyskiwana ze źródeł, które odnawiają się w sposób naturalny, na przykład energia słoneczna, farmy wiatrowe, biopaliwa, pływy i fale, hydroenergetyka i geotermia. Odnawialne źródła energii stanowią zamiennik dla paliw kopalnych, a ich wykorzystanie nie zwiększa emisji dwutlenku węgla lub wpływa na nią w stopniu minimalnym.

OFFSET WĘGLOWY

Obniżenie emisji gazów cieplarnianych, kompensujące lub równoważące inną emisję, której nie da się uniknąć. Dokonuje się go przez zakup kredytów węglowych, z których każdy odpowiada jednej tonie ekwiwalentu dwutlenku węgla (tCO2e). Państwa i duże firmy mogą zdecydować się na offsetowanie, jeśli jest to dla nich bardziej opłacalne niż obniżenie emisji. Offset węglowy jest też dostępny dla firm i osób prywatnych, które chcą kompensować swoje działania, na przykład podróże lotnicze. Zgromadzone w ten sposób środki są przeważnie przeznaczane na rozwój sektora energii odnawialnej, bioenergii albo na zalesianie. Offsetowanie powinno być częścią szerzej zakrojonej strategii, której celem jest ograniczenie emisji, ponieważ samo w sobie nie rozwiązuje problemu.

OGRODNICTWO MIEJSKIE

Produkcja żywności na terenach miejskich. Ogrodnictwo miejskie jest zazwyczaj bardzo zrównoważone, ponieważ wykorzystuje przestrzeń zamieszkaną przez ludzi, co obniża potrzebę transportu produktów. Miejscy ogrodnicy często korzystają z energii odnawialnej i hydroponiki.

PODATEK WĘGLOWY

Podatek od spalania paliw kopalnych (węgla, ropy i gazu), który ma sprawić, że firmy zanieczyszczające środowisko będą za to płacić. Udowodniono, że jest skutecznym narzędziem do ograniczania emisji w wielu sektorach przemysłu.

POJEMNOŚĆ ŚRODOWISKA
Maksymalna wielkość populacji danego gatunku, która może wystąpić w określonym siedlisku ze względu na dostępność pokarmu, miejsca, wody i innych zasobów.

PRODUKT KRAJOWY BRUTTO (PKB)
Miernik produktywności, który uwzględnia wartości dóbr i usług wytworzonych przez kraj lub jakiś sektor gospodarki w określonej jednostce czasu. Może być używany do określenia produktywności danego kraju, ale jest często krytykowany, ponieważ nie uwzględnia takich wartości jak sprawiedliwość społeczna, dobrostan i wpływ na środowisko. Simon Kuznets, uznawany za twórcę PKB, ostrzegał, że nie powinno się go używać do mierzenia dobrobytu narodu.

PRZEJŚCIE DEMOGRAFICZNE
Proces zmian zachodzących w populacji danego kraju, polegający na przejściu od wyżu demograficznego, charakteryzującego się wysoką śmiertelnością noworodków i typowego dla narodów słabo rozwiniętych pod względem technologii, edukacji i gospodarki, do niskiego przyrostu naturalnego i niskiej

śmiertelności, typowej dla społeczeństw z silną gospodarką, dobrą edukacją i korzystających z zaawansowanych technologii.

PRZEŁOWIENIE
Połowy ryb, prowadzone na taką skalę, że populacja nie jest w stanie się odradzać. Zaburza to populację danego stada. W 2020 roku Organizacja Narodów Zjednoczonych do spraw Wyżywienia i Rolnictwa doniosła, że około jedna trzecia światowych zasobów ryb jest przełowionych.

PUNKT KRYTYCZNY
Próg, którego przekroczenie może doprowadzić do nagłej, potężnej, często samonapędzającej się i potencjalnie nieodwracalnej zmiany w ziemskim ekosystemie.

REDD+
Program opracowany przez ONZ, którego pełna nazwa brzmi: Redukcja Emisji Dwutlenku Węgla z Wylesień i Degradacji. Jego celem jest wyliczenie finansowej wartości dwutlenku węgla zmagazynowanego w lasach. Ma to pomóc zatrzymać wylesianie i degradację lasów w krajach rozwijających się.

REFORESTACJA
Naturalny lub wspomagany przez człowieka powrót lasu na tereny, które były kiedyś zalesione. Termin

ten dokładnie oznacza sadzenie lasów na obszarze, który został wykarczowany lub wylesiony stosunkowo niedawno. Aforestacja oznacza obsadzanie miejsc, na których lasu nigdy nie było, albo został wycięty bardzo dawno temu, na przykład terenów miejskich lub uprawianych przez stulecia. Reforestacja jest jednym z rozwiązań opartych na przyrodzie i może wpłynąć na zmiany klimatyczne, ponieważ związana jest ze znaczącą sekwestracją dwutlenku węgla.

REWOLUCJA ZRÓWNOWAŻONEGO ROZWOJU
Rewolucja przemysłowa, której rychłe nadejście przewidują ekonomiści. Fala innowacji będzie wywołana potrzebą zrównoważonego rozwoju. Cechami charakterystycznymi będą odnawialne źródła energii, transport o minimalnym wpływie na środowisko, gospodarka o obiegu zamkniętym, zgodna z filozofią zero waste, sekwestracja dwutlenku węgla, rozwiązania oparte na przyrodzie, alternatywne źródła białka, rolnictwo regeneracyjne, rolnictwo wertykalne itd. Rewolucja zrównoważonego rozwoju umożliwi zielony wzrost i obiecującą przyszłość.

ROLNICTWO REGENERACYJNE
Sposób uprawiania ziemi łączący w sobie ochronę przyrody i odbudowę naturalnych procesów i zasobów. U jego podstaw leży poprawa kondycji gleby. Jest alternatywą dla rolnictwa przemysłowego, które

przeważnie prowadzi do degeneracji gleby i dopuszcza stosowanie nawozów sztucznych i pestycydów. Stosowanie zasad rolnictwa regeneracyjnego poprawia jakość gleby, jej zdolność do sekwestracji dwutlenku węgla i bioróżnorodność.

ROLNICTWO WERTYKALNE

Produkcja żywności na pionowych powierzchniach. Rośliny uprawia się jedna nad drugą, w kontrolowanym środowisku, często z wykorzystaniem hydroponiki lub akwaponiki. To bardzo zrównoważona metoda rolnictwa. Powierzchnia uprawna jest maksymalnie wykorzystana, nie ma też potrzeby korzystania z nawozów sztucznych i pestycydów.

ROZWIĄZANIA OPARTE NA PRZYRODZIE (NATURE--BASED SOLUTIONS)

Inspirowane naturą rozwiązania różnych problemów społecznych i środowiskowych, przede wszystkim związanych ze zmianami klimatycznymi, bezpieczeństwem wodnym i żywnościowym, zanieczyszczeniem powietrza i ryzykiem klęsk żywiołowych. Przykładem może być zapobieganie erozji brzegowej za pomocą sadzenia mangrowców, tworzenie morskich obszarów chronionych jako środek do zwiększenia połowów, zazielenianie miast w celu obniżenia temperatury powietrza, tworzenie mokradeł dla ochrony przed powodzią i reforestacja, która ma być naturalną metodą sekwestracji dwutlenku węgla. Rozwiązania oparte na przyrodzie są relatywnie tanie, a ich cennym skutkiem ubocznym jest wzrost bioróżnorodności.

SEKWESTRACJA DWUTLENKU WĘGLA

W skrócie CCS, od angielskiego *carbon capture and storage*. Proces wychwytywania dwutlenku węgla (zazwyczaj przeprowadzany w dużych fabrykach lub elektrowniach), a następnie transportowania go pod ziemię, gdzie jest składowany w sposób, który uniemożliwia mu ponowne przedostanie się do atmosfery. Wykorzystanie sekwestracji dwutlenku węgla w nowoczesnym przemyśle może obniżyć emisję aż o dziewięćdziesiąt procent, zwiększa jednak zużycie energii i koszty. Teoretycznie, jeśli sekwestracja dwutlenku węgla będzie prowadzona w połączeniu z procesem zwanym BECCS (*bioenergy with carbon capture and storage*), czyli z wykorzystaniem bioenergii, albo z bezpośrednim przechwytywaniem dwutlenku węgla z powietrza (proces zwany DACCS, *direct air carbon capture and sequestration*), możliwe będzie całkowite usunięcie dwutlenku węgla z atmosfery w procesie tzw. emisji ujemnej. Obie te technologie są jeszcze w fazie badań i testów. Rozwiązania oparte na przyrodzie mogą stanowić naturalną formę CCS (usuwając dwutlenek węgla), dodatkowo wspierając wzrost bioróżnorodności.

Słowniczek

SPOŁECZEŃSTWO ZBIERACKO-ŁOWIECKIE

Typ społeczeństwa opierającego się na pozyskiwaniu pożywienia z dzikich obszarów. Ludzkość żyła w ten sposób przez dziewięćdziesiąt procent swojej historii, dopóki na początku holocenu nie wynaleziono rolnictwa.

SYNDROM PRZESUWAJĄCEGO SIĘ PUNKTU ODNIESIENIA

Skłonność do postrzegania jako normalne czegoś, co jest doświadczeniem obecnego pokolenia lub co istniało jeszcze niedawno. W tej książce termin ten jest użyty w odniesieniu do naszej skłonności do zapominania o bioróżnorodności, która była kiedyś normą.

SZCZYT DEMOGRAFICZNY

Moment, w którym liczba ludności na Ziemi przestanie rosnąć. Wydział Ludnościowy Departamentu Gospodarki i Spraw Socjalnych ONZ prognozuje, że może to nastąpić na początku dwudziestego drugiego wieku, może nas być wtedy 11 miliardów. Jeśli podejmiemy walkę z ubóstwem i zatroszczymy się o prawa kobiet, możemy przyspieszyć wystąpienie szczytu demograficznego. Mógłby nadejść już w 2060 roku, a światowa populacja wyniosłaby wtedy tylko 8,9 miliarda.

SZCZYT DZIETNOŚCI

Moment, w którym liczba dzieci na Ziemi (jako dziecko traktuje się zwykle osoby poniżej piętnastego roku życia) przestanie rosnąć. ONZ prognozuje, że może on nastąpić w połowie stulecia.

SZCZYT POŁOWÓW
Moment, w którym masa złowionych ryb przestała rosnąć. Osiągnęliśmy go w połowie lat dziewięćdziesiątych dwudziestego wieku. Od tego czasu obserwuje się niewielki spadek połowów.

SZCZYT WYDOBYCIA ROPY NAFTOWEJ (PEAK OIL)
Moment, w którym globalna produkcja ropy osiągnie maksimum. Po nim nastąpi spadek wydobycia.

SZCZYT ZAGOSPODAROWANIA GRUNTÓW ROLNYCH
Moment, w którym przestanie rosnąć powierzchnia użytków rolnych. Organizacja Narodów Zjednoczonych do spraw Wyżywienia i Rolnictwa szacuje, że nastąpi to koło 2040 roku.

ŚLAD EKOLOGICZNY
Miara wpływu, jaki wywieramy na środowisko. Najprościej rzeczy ujmując, określa zużycie zasobów w stosunku do zdolności Ziemi do regeneracji (zwłaszcza w odniesieniu do emisji gazów cieplarnianych). Może być używany w odniesieniu do pojedynczych ludzi lub do całych gospodarek. Mierzy się go w globalnych hektarach na osobę (gha). W tej chwili zużywamy więcej hektarów niż Ziemia jest

nam w stanie dostarczyć, dlatego mówimy o Wielkim Spadku.

TECHNOLOGIA BLOCKCHAIN

Rejestr cyfrowy, w którym zapisane są wiarygodne informacje o transakcjach zawartych w internecie, przechowywany na kilku połączonych w sieć komputerach, tworzących rodzaj łańcucha. System jest nie tylko wydajny, ale też ogranicza ryzyko wystąpienia błędów i korupcji. Został stworzony dla rozwoju kryptowalut takich jak bitcoin. Okazało się jednak, że można tę technologię wykorzystać do prześledzenia łańcuchów dostaw, co umożliwia weryfikację pochodzenia takich produktów jak drewno albo tuńczyki.

UDOMOWIENIE (DOMESTYKACJA)

Proces, w ramach którego ludzie wywierają znaczący wpływ na rozmnażanie się innych gatunków i przejmują nad nimi opiekę. Przykładem roślin udomowionych są ziemniaki, pszenica i banany. Zwierzęta udomowione to choćby krowy, owce i świnie. Udomowienie jest podstawą hodowli i rolnictwa.

UPRAWA LASÓW PODWODNYCH

Jedno z rozwiązań opartych na przyrodzie. Polega na uprawie lasów wodorostów. Są one skutecznym narzędziem do sekwestracji dwutlenku węgla, a zebrane wodorosty mogą być wykorzystane do produkcji bioenergii i żywności. Można je też trwale usuwać, neutralizując w ten sposób dwutlenek węgla.

WIECZNA ZMARZLINA

Część skorupy ziemskiej, która pozostaje trwale zamarznięta. Występuje przede wszystkim w arktycznej części Rosji, w Kanadzie, na Alasce i Grenlandii. Wraz ze wzrostem globalnych temperatur wieczna zmarzlina zacznie topnieć, uwalniając do atmosfery metan — jeden z gazów cieplarnianych. Wskutek emisji metanu temperatura podniesie się jeszcze bardziej, powodując rozmarzanie kolejnych partii wiecznej zmarzliny. Doprowadzi to do kolejnego punktu krytycznego i niekontrolowanego ocieplenia klimatu.

WIELKIE PRZYSPIESZENIE

Gwałtowny, jednoczesny wzrost wielu rodzajów działalności ludzkiej, zaobserwowany w połowie dwudziestego wieku i trwający do dziś. Charakterystyczne dla tego okresu popyt na surowce i produkcja zanieczyszczeń w bezpośredni sposób przyczyniają się do niszczenia środowiska.

WIELKI UPADEK

Gwałtowny, jednoczesny spadek różnych wskaźników, na przykład bioróżnorodności i stabilności klimatu. Rozpoczął się w połowie dwudziestego wieku i trwa do dziś. Proces ten najprawdopodobniej nasili się w obecnym stuleciu, prowadząc do serii punktów krytycznych i całkowitej destabilizacji Ziemi jako systemu.

ZADZICZANIE

Proces odbudowy i powiększania przestrzeni, w których istnieje bioróżnorodność, siedlisk i ekosystemów. Zadziczanie jest często prowadzone na dużą skalę. Odtwarza się przy tym procesy zachodzące w przyrodzie, a czasem także reintrodukuje brakujące gatunki. Czasem stosuje się zamienniki, czyli gatunki pełniące tę samą funkcję w danym ekosystemie. W tej książce zadziczanie (określane także jako przywracanie dzikiej przyrody) ma bardzo szerokie znaczenie i dotyczy odbudowy środowiska przyrodniczego całej planety. Ma na celu zatrzymanie spadku bioróżnorodności przez stosowanie zasad zrównoważonego rozwoju w różnych dziedzinach życia. Ważnym elementem procesu zadziczania świata jest spowolnienie zmian klimatycznych.

ZAKWASZENIE OCEANÓW

Stopniowy spadek pH oceanów spowodowany wchłanianiem dwutlenku węgla z atmosfery. Woda morska ma odczyn lekko alkaliczny, dlatego zakwaszenie oceanów początkowo zmienia jej odczyn na obojętny, ale z czasem zaczyna niekorzystnie wpływać na morskie ekosystemy. W trakcie historycznego epizodu zakwaszania oceanów doszło do masowego wymierania gatunków i długotrwałego pogorszenia się wydajności całego systemu planety.

ZAMIERANIE DRZEWOSTANÓW

Zjawisko polegające na tym, że grupa drzew zaczyna chorować i zamierać. Dwa z przewidywanych na to stulecie punktów krytycznych, do których dojdzie z powodu zmian klimatycznych i wycinania lasów, dotyczą zamierania drzewostanów. Pierwszy będzie miał miejsce w Amazonii, a drugi w kanadyjskiej i rosyjskiej tajdze.

ZIELONY WZROST

Wzrost gospodarczy przy jednoczesnym korzystaniu z zasobów środowiska w sposób zrównoważony. Stanowi alternatywę dla tradycyjnego wzrostu gospodarczego, który dokonuje się bez poszanowania dla środowiska.

ZIEMIA JAKO SYSTEM

Koncepcja, zgodnie z którą Ziemia jest zintegrowanym systemem geologicznym, chemicznym, fizycznym i biologicznym. W trakcie holocenu system ten tworzył warunki sprzyjające rozwojowi życia. Składało się na nie działanie atmosfery (powietrza), hydrosfery (wody), kriosfery (lód i wieczna zmarzlina), litosfery (skały) i biosfery (życie). System Ziemi powinien działać nadal, utrzymując środowisko w stabilnym stanie, o ile nie przekroczymy ograniczeń planety.

ZRÓWNOWAŻONY (ROZWÓJ)

Zwrot, który w kontekście tej książki odnosi się do zdolności gatunku ludzkiego do wiecznego koegzystowania z biosferą. Aby się rozwijać w sposób zrównoważony, ludzkość musi szanować granice planetarne.

PODZIĘKOWANIA

Praca nad projektem *Życie na naszej planecie*, który obejmuje zarówno tę książkę, jak i towarzyszący jej film, trwała kilka lat. Korzystałem przy tym z pomocy wielu osób. Pomysł narodził się podczas rozmów z Colinem Butfieldem z WWF, a także z Alastairem Fothergillem i Keithem Scholeyem — moimi dawnymi kolegami z Silverback Films. Jestem im głęboko wdzięczny. Odegrali nieocenioną rolę podczas planowania struktury tej książki, zarządzali także produkcją filmu, który wpłynął na zawartość tekstu.

Największe podziękowania należą się jednak współautorowi tej książki, Jonniemu Hughesowi. Od wielu lat angażuje się on w projekty związane z ochroną przyrody, wyreżyserował też film. Nieocenione okazały się jego elokwencja, wiedza i umiejętność jasnego formułowania myśli. Dotyczy to zwłaszcza trzeciej części książki, która oparta jest na różnorodnych badaniach, a także pomysłach i opiniach ludzi z wielu branż i organizacji.

Nie zdołalibyśmy zgromadzić tylu informacji bez pomocy zespołu naukowego WWF. Chcemy szczególnie podziękować Mike'owi Barrettowi, dyrektorowi wykonawczemu ds. nauki i ochrony przyrody brytyjskiego oddziału WWF, który podzielił się z nami swoimi przemyśleniami na temat kryzysu środowiskowego, a także stał na czele zespołu, który przygotował przełomową publikację, *Living Planet Report*. Była ona dla nas źródłem prawdziwej inspiracji. Dziękujemy także Markowi Wrightowi, dyrektorowi naukowemu WWF, który poświęcił długie godziny na sprawdzenie, czy używane przez nas argumenty są oparte na solidnych badaniach.

Dzięki współpracy z WWF poznaliśmy wiele inspirujących osób. Nie jesteśmy ich tu w stanie wszystkich wymienić. Musimy jednak wspomnieć Johana Rockströma i jego zespół, który pracował z nim nad modelem ograniczeń planety, a także Kate Raworth, twórczynię modelu pączka. Dzięki nim wszyscy zyskaliśmy cenną wiedzę, bardzo potrzebną w tych przełomowych czasach. Badania i artykuły Paula Hawkena i Calluma Robertsa pomogły nam zrozumieć problemy i rozwiązania dotyczące odpowiednio zmian klimatycznych i oceanów.

Jesteśmy też głęboko wdzięczni Albertowi DePetrillo i Nell Warner z Penguin Random House za ich wskazówki, a także Robertowi Kirby'emu i Michaelowi Ridleyowi za pomoc przy produkcji książki.

Podziękowania

Chciałbym podziękować mojej drogiej córce Susan, która pomaga mi się zorganizować i która z nieskończoną cierpliwością wysłuchała każdego słowa tej książki, i to wielokrotnie.

Praca przy tym projekcie wzbudziła we mnie wiele emocji. Trudno zmierzyć się z prawdą na temat stanu naszej planety. Nie czułem się dobrze, zapoznając się ze szczegółowymi informacjami na ten temat. Otuchą jednak napawa mnie odkrycie, że tak wiele błyskotliwych umysłów pracuje nad rozwiązaniem naszych problemów. Pokładam w nich nadzieję, licząc, że wkrótce uda im się zmienić naszą przyszłość. Pracując nad *Życiem na naszej planecie*, nieustannie uświadamiałem sobie, że wspólnie możemy osiągnąć dużo więcej.

David Attenborough
Richmond, Wielka Brytania
8 lipca 2020

ŹRÓDŁA ILUSTRACJI

Źródła ilustracji

Źródła ilustracji

s. 237 Program prowadzony przez Mann Deshi Foundation umożliwia dziewczynkom z terenów wiejskich w Indiach dojazd do szkoły — © Mann Deshi Foundation

s. 244 „Superdrzewa" zasilane energią słoneczną, Singapur — © Zhu Difeng/Shutterstock

s. 257 David trzyma świeżo wyklute pisklę ptaka z rodziny kurowatych, które „rozmawia" z niewyklutym jajem, *Wonder of Eggs* — © Mike Birkhead

s. 285 David i Jonnie Hughes podczas pracy nad *Życiem na naszej planecie* — © Laura Meacham

INDEKS